Zukunftsfähige Geschäftsmodelle und Werte

Friedrich Glauner

Zukunftsfähige Geschäftsmodelle und Werte

Strategieentwicklung
und Unternehmensführung
in disruptiven Märkten

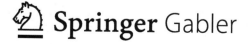

Dr. Friedrich Glauner
Cultural Images Wertemanagement
Grafenaschau
Deutschland

Dr. Friedrich Glauner
Weltethos Institut
Tübingen
Deutschland

ISBN 978-3-662-49241-3   ISBN 978-3-662-49242-0 (eBook)
DOI 10.1007/978-3-662-49242-0

Die Deutsche Nationalbibliothek verzeichnet diese Publikation in der Deutschen Nationalbibliografie; detaillierte bibliografische Daten sind im Internet über http://dnb.d-nb.de abrufbar.

Springer Gabler

Lektorat: Gebke Mertens

Springer Gabler ist Teil von Springer Nature. Die eingetragene Gesselschaft ist Springer-Verlag GmbH Berlin Heidelberg

Zukunftsfähige Unternehmen agieren werteorientiert

Unternehmer tragen Verantwortung. Sie stehen ein für den Fortbestand ihrer Firmen, denken vorausschauend, ohne die Traditionen zu vernachlässigen. Wenn sie erfolgreich sein wollen, handeln sie innovativ, strategisch, wertschöpfend.

Aber entgegen der Auffassung, dies sei der Mühe vielleicht schon genug, geht das vorliegende Buch von Friedrich Glauner, und ich teile die darin vertretene Denkrichtung voll und ganz, weiter. Das Thema Zukunftsfähigkeit von Unternehmen macht hier nicht Halt bei betriebswirtschaftlichen Überzeugungen. Es setzt vielmehr da an, wo unter Zukunft eine umfassendere Perspektive verstanden wird, um den Herausforderungen und Überraschungen, die die Globalisierung bereithält, zu begegnen. Er entfaltet mit unternehmerischem Sachverstand, wie Unternehmen durch ihre Wertestrategien strategische Wettbewerbsvorteile aufbauen und gleichsam zu einer ganzheitlichen Mehrwertstiftung beitragen können. Was ist nun damit gemeint?

Als weltweit agierendes Unternehmen ist die Firma HILTI erfahren genug, um zu verstehen, dass es, um erfolgreich zu sein, nicht ausreicht, gewinnorientierte Bilanzen aufzustellen. Vielmehr gilt es, die Beschäftigten wirklich mit ins Boot zu nehmen, die sozialen und kulturellen Bedingungen zu berücksichtigen, immer wieder zu verifizieren, ob der eingeschlagene Weg wirklich der Richtige ist und diesen ggfs. zu justieren. Da sind auf allen Ebenen Mehrwerte zu schaffen, nicht nur für Kunden, Mitarbeiter und das Unternehmen, sondern auch für das Umfeld, in dem sie stehen. Friedrich Glauners Buch entfaltet jenseits aller Moral-Rhetorik kraftvolle Argumente und klare Anweisungen, wie sich Unternehmen zukunftsfähig positionieren und der Realität globalen Wirtschaftens stellen können. Ich wünsche ihm und diesem vernünftigen Ansatz den ihm gebührenden Erfolg.

HILTI AG, Schaan, 14.09.2015

Michael Hilti

Ein Paradigmenwechsel für die zukünftige Strategieentwicklung

An guten Empfehlungen mangelt es wahrlich nicht. Und auch nicht an der Erkenntnis, dass strategisches Denken und Handeln zu den wichtigsten Funktionen zählt, die ein Unternehmen sein Eigen nennen sollte, will es im Wettbewerb bestehen und seine Zukunft eigenständig gestalten.

Somit steht heute jedem interessierten Manager eine Vielzahl von unterschiedlichen Konzepten zur Verfügung. Mit Hilfe dieses Werkzeugkastens kann ein Unternehmen auf verschiedenen Ebenen, in unterschiedlichen Situationen und wechselnden Herausforderungen strategisch agieren und sowohl die gesamtheitliche Geschäftsstrategie als auch funktionale oder produktorientierte Bereichsstrategien den jeweils herrschenden Verhältnissen anpassen. Nicht zuletzt sorgt die organisatorische und kompensatorische Einbindung der Strategiefunktion in Aufbauorganisation und Entlohnungssystem dafür, dass für ausreichendes Ansehen und Durchsetzung der mit der Strategieentwicklung betrauten Manager – soweit nicht ohnehin beim Vorstands- oder Geschäftsführungsvorsitz angesiedelt – gesorgt ist.

Am Ansehen der Strategieentwicklung kann es also nicht liegen, wenn sich der Eindruck aufdrängt, dass die Erfolgsgeschichten der heutigen post-industriellen und globalisierten Welt nur noch selten durch gezieltes Herausarbeiten einer definierten Strategie erzielt werden, sondern wie auch schon seit alters her eher dem Genius herausragender Unternehmerpersönlichkeiten entspringen. Mehr noch, selbst wenn dieses einem Unternehmen durch das gut orchestrierte Zusammenwirken von Personen und Fähigkeiten von innerhalb und außerhalb, sowohl konzeptionell als auch umsetzungsseitig, doch noch immer wieder gelingt, kann man vor einer Tatsache nicht die Augen verschließen: Die Brauchbarkeitsspanne einer verabschiedeten und gültigen Strategie wird immer kürzer und die bisherige überwiegend einseitige Orientierung an mengenmäßigen Größen wie Wachstum und Ertrag erscheint immer seltener geeignet, aktuell und nachhaltig die Überlebensfähigkeit von Unternehmen oder auch ganzen Branchen zu sichern. Im Gegenteil, die in der Vergangenheit erfolgreich praktizierten Konzepte scheinen – trotz vielfältiger Appelle und hektischer Betriebsamkeit, kurzsichtiges Mengen- und Ertragsdenken durch verantwortungsbewusste Nachhaltigkeitsfürsorge zu ergänzen – immer mehr geeignet zu sein, den Ast abzusägen, auf dem man glaubt, fest und überlebensfähig zu sitzen. Und das gleichermaßen für die Mikrowelt des Unternehmens als auch für die Makrowelt der umgebenden Gesellschaft.

Dies ist die Ausgangssituation, von der aus der Autor des vorliegenden Buches den Versuch unternimmt, durch die Einführung eines grundlegenden anderen strategischen Denkansatzes den Gegebenheiten einer globalisierten und durch die digitale Revolution sich beschleunigt verändernden Welt besser Rechnung zu tragen. Dabei setzt er sich in der ersten Hälfte des Buches zunächst noch einmal kritisch und gekonnt mit den Stärken und Schwächen etablierter Denkschemata auseinander, um so dem Leser die Notwendigkeit eines grundlegenden Paradigmenwechsels nahezubringen. Dass hierfür jenseits irgendwelcher ideologisch geprägter Diskussionen dringend Bedarf besteht, wird deutlich durch das Aufzeigen der Konsequenzen, die aus der Logik des heutigen Handelns entstehen.

Kernpunkt seines Anliegens ist dann die in der zweiten Hälfte des Buches entwickelte Theorie, dass nachhaltiges Wirtschaften nur auf einem Fundament wertebasierter Nutzenstiftung möglich ist. Die fundmentale Einsicht heißt, dass die Überlebensfähigkeit einer Unternehmung sich immer weniger durch Tatbestände wie Produktdifferenzierung und Beherrschung von Märkten und Versorgungsketten erzielen lässt, sondern zunehmend durch die Einzigartigkeit ihrer Kultur und durch ein Höchstmaß an organisatorischer und individueller Anpassungsfähigkeit. Dies erfordert aber einen grundlegenden Paradigmenwechsel für die zukünftige Strategieentwicklung. Die in der Vergangenheit verfolgten unternehmensinternen Ertrags-und Wachstumsziele sind zwar weiterhin eine gewollte Konsequenz, stellen aber keine primären Zielgrößen mehr dar. An deren Stelle treten definierte und gelebte Wertevorstellungen, durch die ein Unternehmen für sich und seine Außenwelt Nutzen stiftet, in Form einer erweiterten Teilhabe und einer ressourcenschaffenden Wertschöpfung. Die diese Zielsetzung treibenden Werte sind als Ergebnis einer zukunftsorientierten Strategieentwicklung sowohl auf der Leitbild- als auch auf der Prozessebene zu verankern und zu praktizieren.

Wie so häufig sind intellektuelle Einsicht und praktisches Handeln nur schwer in Übereinstimmung zu bringen. Aber Einsicht und Bewusstsein sind die unabdingbaren Voraussetzungen, damit Handeln stattfinden kann. Nur der Einsichtige wird auch die notwendige Weitsichtigkeit aufbringen, die für ein nachhaltiges Wirtschaften und die Sicherung der Überlebensfähigkeit eines Unternehmens erforderlich ist. Und Weitsicht ist insofern auch notwendig, als dass die postulierten strategischen Paradigmenwechsel gleichermaßen Zeit und Konsequenz erfordern.

Ohne Zweifel wird die Lektüre von Friedrich Glauners Überlegungen zum Thema „Zukunftsfähigkeit: Wertestrategien zu den Wettbewerbsvorteilen von morgen" Strategieentwicklern, Unternehmensmanagern und Eigentümern ausreichend Stoff zur verantwortungsvollen Reflexion des eigenen Handelns bieten. Sie zu lesen, anzuwenden, auszuprobieren und damit auch weiterzuentwickeln ist es in jedem Falle wert.

Brüssel/München im September 2015   Henner Klein
Executive Management Advisor
Chairman Emeritus A.T. Kearney

Zukunftsfähige Wertschöpfung erfordert ein neues Management-Paradigma

Strategien bedürfen in regelmäßigen Abständen einer Revision – dies gilt sowohl in Unternehmen als auch für gesamte Volkswirtschaften. Unternehmen befinden sich derzeit im permanenten Wandel, der immer schneller alte Geschäftsmodelle hinfällig macht. Um diesen Wandel positiv zu gestalten, bedarf es neuer Managementansätze, und nicht nur einzelner Kurskorrekturen hier oder da. Wo die bisherigen Konzepte von Strategievordenkern wie Michael E. Porter, Gary Hamel/C.K. Prahalad oder Alfred Rappaport nicht mehr ausreichen, drängt sich ein grundlegender Paradigmenwechsel auf. Er transformiert den ertragsorientierten Austausch knapper Güter in einen Wertschöpfungsprozess, der den scheinbaren Gegensatz von Wirtschaft und Moral ebenso aufhebt wie das Spannungsverhältnis von globaler Teilhabe, Wohlstandsmehrung, Wachstum und Ressourcenraubbau.

Ideen verändern die Welt – im Guten wie im Schlechten. Oft aber sind Veränderungen nicht leicht zu erfassen, bzw. sind die Konsequenzen für den Einzelnen nur schwer abzuwägen. Unternehmen, die ein freies Wirtschaften bewahren und zukunftsfähig sein wollen, können auf die von Friedrich Glauner aufgezeigten Strategien ressourcenschöpfender Mehrwertstiftung zurückgreifen. Sein Buch beschreibt die grundlegenden Wettbewerbskräfte auf dem Weg in eine neue Ökonomie. Es unternimmt damit nichts Geringeres, als die Grundlagen des Wirtschaftens neu zu denken. Sein weitreichender Anspruch zielt ab auf eine Neuformulierung der Prinzipien einer freien und sozialen Marktwirtschaft im Zeichen globaler Wirtschaftskreisläufe. In ihr sind unternehmerischer und betriebswirtschaftlicher Sachverstand die Bedingungen für mehr Unternehmertum, Teilhabe und Zukunftsfähigkeit. Ganz im Sinne der sozialen Marktwirtschaft!

Das Buch setzt Standards. In der Entfaltung der neuen Paradigmen einer zukunftsfähigen Ökonomie und Unternehmensführung verbindet es Fallstudien und untermauert diese mit dem betriebswirtschaftlichen Instrumentarium. Ich hoffe, dass diese Ausführungen Eingang finden in den sich gerade entwickelnden Kanon neuer Managementliteratur, die für ein kreatives zukunftsfähiges Unternehmertum steht, welches auf nachhaltige und somit authentische wertschöpfende Geschäftsmodelle setzt.

Köln im September 2015
Prof. Dr. René Schmidpeter

Dr. Jürgen Meyer Stiftungslehrstuhl für Internationale Wirtschaftsethik und CSR, Cologne Business School

Zeitenwende

Interview mit Dr. Martin R. Stuchtey,
Director of the McKinsey Center for Business & Environment

Herr Stuchtey, im Zeichen von Digitalisierung, Wissensökonomie und Industrie 4.0 sind Disruption und kreative Zerstörung in aller Munde. Welche Auswirkungen haben diese Kräfte auf die Strategieentwicklung?

Der Gedanke, dass sich Wertschöpfungslogik, Ressourceneinsatz, Kundenbeziehungen, Leistungskontrakte, Arbeitsverhältnisse und andere Konstanten des Managements fundamental verändern werden, ist greifbar. Nicht nur in der Literatur, die diese disruptiven Kräfte am Werke sieht, und nicht nur am Rande der Weltwirtschaftsforen und -konferenzen. Vorstände bestätigen im Gespräch zunehmend freimütig, dass sich neben steigendem Ertragsdruck und beschleunigten Unternehmensabläufen eine zweite Ebene der Veränderungen spürbar Bahn bricht. Und es gibt viele Vorboten für diesen tektonischen Wandel: neue Geschäftsmodelle, die, gestützt auf neue Technologie, Jahrhunderte alte Industrien, von der Stromerzeugung bis zum Gastgewerbe, implodieren lassen, Prosumenten, Aktionärsaktivismus, neue genossenschaftliche Unternehmensformen. Diese Veränderungen sind nicht nur als Austausch des technischen Betriebssystems zu verstehen. Sie verschieben lang etablierte Grenzen zwischen Produzent und Kunde, zwischen den sogenannten Faktoreinsatzfaktoren und schließlich zwischen Unternehmen und Gesellschaft. Und es weist dem Menschen eine neue Rolle zu. Entfesselt vom Gesetz der Skalen bei Produktion und Absatz, gewinnt dieser Autonomie und Dialogfähigkeit zurück.

Welche Rolle übernimmt hier das Konzept der Ethikologie, welches Friedrich Glauner in seinem Buch „Zukunftsfähigkeit. Wertestrategien zu den Wettbewerbsvorteilen von morgen" entwickelt hat?

Der Kerngedanke des Buches macht aus der Erzeugung gesellschaftlichen Mehrwerts, aus einer heute mehr oder weniger praktizierten Nebenbedingung, eine Zielfunktion. Es greift damit das Konzept des „Shared Value" auf und führt es weiter. Zum einen, indem es die Anforderungen erhöht. Der gesellschaftliche Nutzen muss den einbehaltenen übersteigen. Zum anderen, weil es sie zur Voraussetzung für den Geschäftserfolg im „Verantwortungs- und Bewusstseinsmarkt" der Zukunft macht. Der Gedanke ist kühn und verlockend und bedarf schon deswegen einer kritischen Überprüfung. Er gründet sich auf die Annahme, dass nur ein konsistentes und authentisches Nutzenstiftungskonzept Identität und Markenwert schafft, extern Kunden überzeugt und intern Mitarbeiter motiviert. Eine auf dem Ertragsprinzip aufbauende Wertschöpfungsstrategie wird von beiden Seiten entlarvt. Dies stellt wahrlich hohe Anforderungen an alle Akteure. Hier werden Leser, abhängig vom persönlichen Erfahrungshorizont, von einem unterschiedlichen Maß an Optimismus geprägt sein.

Welche Rolle spielen darin Wertestrategien?
Dieser Begriff ist wichtig. Die Produktion gesellschaftlichen Mehrwerts schafft nicht nur das langfristige Bleiberecht im Markt, es begründet konkret Wettbewerbsvorteile und wird zum Haupttreiber für den Geschäftserfolg. In vielen Unternehmen – vom qualitätsverliebten Schuster um die Ecke bis zum großen Möbelunternehmen – sehen wir so etwas schon.

Wie bewerten Sie den im Buch beschriebenen Paradigmenwechsel der ökonomischen und strategischen Modellbildung?
Das vorliegende Buch stellt sich mitten in die Subduktionszone zwischen alte und neue Realität. Es ist beides: eine Analyse des Paradigmenwechsels und Streitschrift. An vielem darf man sich abarbeiten. Es begeht dabei aber nicht den Fehler, bestehende Defizite etablierter Praktiken und strategischer Programme moralisch zu deuten, sondern als industriehistorischen Speerklinkeneffekt, als „Lock-in" zu beschreiben. Der Übergang zu einem Modell mit besseren Ergebnissen für Wirtschaft, Gesellschaft und Umwelt wird als gesamtgesellschaftliche Aufgabe beschrieben, nicht als Korrekturbedarf Einzelner. Aber gerade für diese Art von Perspektivwechsel sind Zielbilder wichtig. Diese liefert das vorliegende Buch.

Das Gespräch führte Gebke Mertens, Cultural Images.

Die Zwangslogik mentaler Modelle

Vorbemerkungen zur Lektüre

Nicht nur in den Wissenschaften, der Religion und der Politik, sondern auch im Alltag wirtschaftlich handelnder Menschen prägen mentalen Modelle unser Bild der Wirklichkeit. Was real ist und was nicht, was wahr und was falsch, ist dabei nicht nur eine Frage der richtigen Einsichten, sondern mehr noch eine Frage der Glaubenssysteme, mit denen wir die Realität beschreiben. Sie legen dabei nicht nur fest, wie die Gesetzmäßigkeiten der Lebenswelt beschaffen sind, sondern bestimmen damit auch unsere Vorstellungen von Freiheit, Kreativität, Moral und Sinn. Mehr noch, indem sie unsere Erwartungen prägen, wie sich die Welt und ihre Bewohner verhalten werden, begrenzen sie unsere Vorstellungen, wie wir handelnd darauf reagieren sollen. Fiktion prägt so in zweifachem Sinn Wirklichkeit: erstens legen unsere mentalen Modelle die Gesetzmäßigkeiten fest, mit denen wir die Welt beschreiben; zweitens beeinflussen sie, wonach wir streben und wie wir handeln. Sozialpsychologisch betrachtet mündet die weltbildstiftende Funktion unserer mentalen Modelle in eine Zwangslogik. Denn jenseits aller Fragen nach dem guten oder richtigen Handeln und jenseits aller Fragen, welche Modelle denn die richtigen oder passenden seien, gilt für sie alle: wir richten unser individuelles Handeln an Erwartungen aus, die wir in Form von Beweggründen und Gesetzmäßigkeiten dem Gegenüber und der Welt zuschreiben und sie dadurch allererst hervorrufen. Unser Wirklichkeitsverständnis und mehr noch unsere realen sozialen Systeme – seien es Familien, Clans, Unternehmen oder Märkte, Religionen sowie die Systeme von Politik und Wirtschaft – materialisieren sich nur deshalb, weil Menschen ihr Handeln an den Erwartungszuschreibungen ausrichten, die von ihren mentalen Modellen, z. B. denen des Marktes, des Wettbewerbs, der Unternehmensführung, vorgeben werden. Die Pointe dieser Konstruktion von sozialer Wirklichkeit ist, dass wir in diesen Zuschreibungen einen Rückkopplungskreislauf in Gang setzen, der zumindest im Bereich der sozialen Systeme – also den Systemen der Religion, der Politik, der Wirtschaft – zur selbsterfüllenden Prophezeiung wird. Indem sich der Reigen der menschlichen Handlungen an den dem Gegenüber zugeschriebenen Erwartungen und Beweggründen orientiert, etabliert er ein Wirkungssystem, dass immer ausgeklügelter die initial zugeschriebenen Gesetzmäßigkeiten zur Wirklichkeit gerinnen lässt. Wird dieses Wirkungssystem unsere mentalen Modelle nicht reflektiert, bleiben wir nicht nur unseren Handlungsgründen gegenüber blind, sondern auch gefangen in einem lediglich eingeschränkten Raum der Möglichkeiten, wie wir uns in der Welt verhalten.

Dieses Buch widmet sich dem mentalen Modell heutigen Wirtschaftens und der daraus abgeleiteten Vorstellung, worin Strategien der Wettbewerbsfähigkeit gründen. Dabei argumentiert es auf zwei Ebenen. Auf der *praktischen* entfaltet es die zentralen Herausforderungen, die eine zukunftsfähige Unternehmensführung zu meistern hat. Hierzu dient der Haupttext. Er richtet sich an die Praktiker des Strategiegeschäftes, namentlich Unternehmer, Manager und Aufsichtsräte sowie all jene, die auf die strategischen Entscheidungen von Unternehmen und Geschäftsmodellen Einfluss nehmen. Auf der *theoretischen* Ebene richtet sich das Buch an Wissenschaftler im interdisziplinären Schnittfeld von Wirtschafts- und Sozialwissenschaften, Psychologie, Philosophie und Ökonomie. Hier wird vor dem Hintergrund der interdisziplinären Diskussion zu den Bedingungen, Möglichkeiten und Strategien eines zukunftsfähigen Wirtschaftens argumentiert, warum und wie die Zukunftsfähigkeit von Unternehmen sich aus der Dynamik der in Unternehmen wirkenden Werte ableitet. Hierbei lautet die Kernthese: Zukunftsfähige Strategieentwicklung entspringt aus einem veränderten Paradigma, das die heutigen mentalen Modelle der Ökonomie und Unternehmensführung durch das Paradigma der Ethikologie ersetzt. Darin bleiben nur solche Unternehmen marktfähig, die mit ihren Produkten und Dienstleistungen für ihre Umgebungssysteme einen substanziellen Nutzen stiften, dessen Mehrwert jene Werte übersteigt, die das Unternehmen aus ihnen zieht.

Für eine schnelle Lektüre genügt es, den Haupttext bzw. die den Haupttext gliedernden fünfundzwanzig Thesen zu lesen. Die Texte und Beispiele in den Einschubkästen vertiefen die Argumente und Thesen. Sie sind der Subtext für eine wissenschaftliche Metadiskussion zur Zukunftsfähigkeit von Unternehmen.

In der Verschränkung beider Argumentationsebenen entfaltet das Buch einen mehrfachen *Paradigmenwechsel* in der Wahrnehmung von Unternehmen und Märkten. Der erste betrifft den Zweck von Unternehmen und damit das Verständnis zukunftsfähiger Unternehmensstrategien; der zweite die Diskussion über das Für und Wider einer unternehmerischen Verantwortlichkeit, die nicht nur dem Unternehmen, sondern auch gesamtgesellschaftlich verpflichtet ist. Der dritte hinterfragt das ökonomische Mantra vom knappheitsbezogenen Primat des Wettbewerbs, das daraus resultierende Modell des homo oeconomicus sowie das Pro und Contra, ob sich die Vorstellungen von Wachstum und Nachhaltigkeit sowie von Gewinnorientierung und Moral ausschließen. Der vierte, fünfte und sechste betreffen schließlich die ökonomische Fiktion der Rationalität und Werteneutralität ökonomischer Modellbildungen, die Fiktion der Wertschöpfung im freien Spiel der Märkte sowie die ressourcenzerstörende Logik des Wachstums.

Das Buch zeigt mit diesem Paradigmenwechsel, dass die heute gängigen Strategie- und Unternehmenskonzepte gerade deshalb zunehmend obsolet werden, weil sie in ihren angeblich wertneutralen empirischen Beschreibungen der Unternehmensführung verkennen, dass es keine wertneutrale Beschreibung des Marktgeschehens oder der Funktion, Organisation und Zielsetzung von Unternehmen geben kann, weil alles Wirtschaften und damit jede Beschreibung des Wie und Wozu der Unternehmensführung selbst schon immer wertegebunden ist. Hierbei zeigt das Buch auf, wie Unternehmen diese Wertebedingtheit zur Entwicklung von Wettbewerbsvorteilen in den Überflussmärkten von heute sowie den Verantwortungsmärkten von morgen nutzen können.

Damit gibt das Buch eine praktische und eine philosophische Antwort auf die Frage, wie sowohl einzelne Unternehmen als auch unsere wirtschaftlich geprägten Gesellschaften überlebensfähig bleiben. Überlebensfähig bleiben jene Unternehmen, die erkennen, dass die im „homo oeconomicus"-Modell der Unternehmensführung zum Ausdruck kommende ökonomische Logik der Strategieentwicklung und die CSR-Logik einer verantwortungsorientierten Unternehmensführung für eine Zukunftssicherung nicht ausreichen.

Die ökonomische Logik der Strategieentwicklung ist nicht zukunftsfähig, da sie dazu neigt, Unternehmen in der betriebswirtschaftlichen Logik der knappheitsfixierten Ertragsorientierung in *Strategien eines kurzfristigen Denkens und des Ressourcenraubbaus* zu treiben. Dieser Logik gemäß wirtschaften Unternehmen besonders erfolgreich dann, wenn sie Profite privatisieren sowie anfallende Kosten nach Möglichkeit auslagern oder kollektivieren.

Corporate Social Responsibility ist der Versuch, diese Zwangslogik kurzfristiger, raubbaufördernder Unternehmensstrategien zu durchbrechen. Aber auch sie ist nicht zukunftsfähig, da die diversen Spielarten von CSR, Unternehmens- und Wirtschaftsethik mit ihren Triple Bottom Line Appellen an unternehmerische Verantwortung und ethisch nachhaltiges Wirtschaften einem *zweifachen Kategorienfehler* aufsitzen. Erstens vermengen sie die Steuerungsimpulse, die unternehmerisches Handeln leiten. Zweitens verfehlen sie mit ihren von außen an das Unternehmen herangetragenen Verantwortungsansprüchen der Meso- und Makroebene die relevante Mikroebene unternehmerischen Handelns.

Damit Unternehmen berücksichtigen, was scheinbar außerhalb der ökonomischen Logik liegt, ist eine *Wettbewerbsargumentation* nötig, die der Mikrologik der Unternehmensführung entspringt. Den Ansatzpunkt hierfür finden wir in der Logik Werte, die unternehmerisches Handeln bestimmen. Ihr gemäß werden solche Unternehmen wettbewerbsfähig sein, die für sich das Bewusstsein als zentrale Ressource der Zukunft erschließen. Wer die Kraft dieser Ressource erkennt, kann die Geschäftsmodelle der Märkte von morgen definieren. Sie basieren auf substanziellen Nutzenstiftungen, die nicht nur Erträge generieren, sondern zugleich ressourcenschöpfend und mehrend sind. Analog zu Ökosystemen organisieren sie Mehrwertkreisläufe, die die Ressourcenbasis des Gesamtsystems kontinuierlich verbreitern und vertiefen und so zu einem Ressourcenwachstum beitragen. Sie legen so den Grund für die eigene Entwicklungsfähigkeit.

Wir nennen Geschäftsmodelle, deren Motor eine das Gesamtsystem stärkende Mehrwertstiftung ist, *ethikologische Geschäftsmodelle*. Sie basieren auf einer Wertelogik, die den humanen Werten des Weltethos sowie den ökologischen Prinzipien der Ressourcenschöpfung verpflichtet ist. Im Sinn einer *ethischen Wahrheitstafel* manifestieren sich ethikologische Geschäftsmodelle in einer Unternehmenskultur, die sowohl im Umgang mit internen und externen Stakeholdern als auch in der substanziellen Ausgestaltung des jeweiligen Geschäftsmodells ethisch tragfähig ist. Zukunftsfähige Strategieentwicklung konzentriert sich somit auf den Aufbau von Wertekulturen für sich selbst tragende *Wertschöpfungskreisläufe in den Über-fluss- und Verantwortungsmärkten der Zukunft*. Mein Anliegen ist, Hinweise zu geben, welche Wertestrategien die Wettbewerbsvorteile von morgen sichern.

Grafenaschau und Tübingen, 10.9.2015   Friedrich Glauner

Danksagung

Jede Autorenschaft lebt mehr noch als vom eigenen Denken von der Auseinandersetzung mit den Gedanken anderer, sei es in Form von Literatur, sei es im gesprochenen Dialog. Das vorliegende Buch verdankt sich vielen Gesprächen mit Menschen, mit denen ich über die Jahre die verschiedensten Facetten des hier behandelten Themas mentaler Modelle und ihrer Auswirkungen auf menschliches und institutionelles Handeln diskutieren konnte.

Im philosophischen Diskurs danke ich Christa Hackenesch(†), Johannes Fritsche, Ulrich Schneider, Rainer Adolphi, Sybilla Lotter, Andreas Huber, Christoph Hubig, Hans Poser, Günter Abel, Roland Posner, Donald Davidson(†), John Searle, Hans Sluga, Barry Stroud, Ernst Tugendhat(†), Klaus Heinrich, Dieter Henrich, Herbert Schnädelbach sowie meinen Kolleginnen und Kollegen vom Weltethos-Institut Tübingen, Claus Dierksmeier, Christoph Giesa, Christopher Gohl, Katharina Hoegel und Bernd Villhauer.

Im Bereich der werteorientierten Unternehmensführung danke ich Ulrich Hemel sowie den Teilnehmerinnen und Teilnehmern meiner verschiedenen Seminare am Weltethos-Institut Tübingen, an der Universität der Bundeswehr München sowie der Hochschule Weihenstephan. Dort danke ich besonders Matthias Kunert. Danken möchte ich ebenso den Alumni des Studiengangs Master of Ethical Management der Universität Eichstätt, dort vor allem Andreas Knie; den Mitstreitern und Mitstreiterinnen beim Deutschen Netzwerk Wirtschaftsethik, insbesondere Kristin Vorbohle; den Reihenherausgebern der deutschen und englischen Reihe „CSR...", René Schmidpeter, Nick Capeldi und Samuel Idowu.

Im Bereich der strategischen und operativen Unternehmensführung danke ich allen Unternehmern und Unternehmerinnen, deren Impulse und Vorbilder in die Publikationen der letzten drei Jahre eingeflossen sind, insbesondere Claus Hipp, Michael Hilti, Nicola Leibinger-Kammüller, Dieter Jung, Jeff Maisel, Erich Harsch, Rudolf Schreiber, Arnold Weissman, Rüdiger Ruoss, Christian von Bethmann, Henner Klein, Manfred Benzenberg, Wolfgang Seidel, Martin Stuchtey,

Günter Rommel, Carl Glauner, Karl-Ludwig Schweisfurth, Franz Ehrnsperger, Leopold von Heimendahl.

Ihnen allen sei an dieser Stelle herzlich gedankt.

Last but not least danke ich Gebke Mertens. Ohne ihr unermüdliches Zutun, meine Arbeit mit Gesprächen und Diskussionen, mit Anregungen und Hinweisen zu unterstützen, wäre das Buch nicht entstanden. Ihr und unserem Sohn Albert sei es gewidmet.

Grafenaschau und Tübingen, 16.9.2015   Friedrich Glauner

Inhaltsverzeichnis

Autorenporträt Dr. Friedrich Glauner

Dr. Friedrich Glauner geb. 1960, stammt aus einem Familienunternehmen. Er verbindet 20 Jahre Erfahrung als Unternehmer, Geschäftsführer, Manager und Berater mit 16 Jahren Lehre und Forschung im Bereich Philosophie, Systemtheorie, Kommunikationstheorie und Dozenturen an der TU-Berlin, der FU-Berlin sowie der ebs European Business School, Oestrich-Winkel.

Aktuell lehrt er Werteorientierte Strategieentwicklung, Unternehmensführung und Führungstechniken an der Universität der Bundeswehr in München, am Weltethos-Institut der Universität Tübingen sowie den Hochschulen Weihenstephan-Triersdorf und Rottenburg.

Er studierte Philosophie, Wirtschaftswissenschaften, Religionswissenschaften, Semiotik und Geschichte an den Universitäten Köln, FU-Berlin, TU-Berlin, Humboldt Universität Berlin sowie als Post Graduate Fulbright Fellow an der University of California, Berkeley. Zusatzausbildungen absolvierte er an der London School of Economics (Department of Management) und an der Wirtschaftsfakultät der Universität St.Gallen. Er ist Mitglied im DNWE Deutsches Netzwerk Wirtschaftsethik EBEN (European Business Ethics Network) Deutschland e.V..

Sein in der Praxis erprobter Ansatz des Wertemanagements und des Aufbaus ethikologischer Geschäftsmodelle verbindet kybernetische Elemente der Organisationsentwicklung und existenzialpsychologische Elemente der Persönlichkeitsbildung mit dem Management-Instrumentarium für Strategie- und Change-Prozesse. Zur Steuerung individueller und unternehmerischer Positionierungs-, Wandlungs- und Exzellenzprozesse entwickelte er das Konzept kultureller Bilder als Folie für die Arbeit mit Werten sowie die Modelle des C4-Managements, der sieben Treiberfaktoren der Unternehmenskultur und das Instrument des Wertecockpits zur werteorientierten Ausrichtung von Unternehmensprozessen und der Führung mit Werten.

Abbildungsverzeichnis

Strategien im Sog des technologischen Wandels

1

Nach Moores Gesetz verdoppelt sich die Komplexität integrierter Schaltkreise in immer kürzeren Intervallen. Was für die Chiptechnologie gilt, gilt umgekehrt auch für die Halbwertszeit von Unternehmen. Denn durch den technologischen Fortschritt verkürzt sich die Lebensspanne von Unternehmen in immer schnelleren Zyklen. So betrug etwa die durchschnittliche Lebensdauer der im Standard & Poor's gelisteten Unternehmen 1958 61 Jahre. Diese Spanne schrumpfte laut Untersuchungen von McKinsey 1980 auf 25 und im Jahr 2012 auf 18 Jahre (Gilbert et al. 2013, S. 44). Wie McKinsey Berater schon vor zehn Jahren prognostizierten, führt dieses Muster der Diskontinuität dazu, dass sich die durchschnittliche Lebensdauer der im S&P500 gelisteten Unternehmen bis 2020 auf nur noch zehn Jahre reduziert (Foster und Kaplan 2002, S. 13). Betrachten wir diese Entwicklung vor dem Hintergrund der technologiegetriebenen Geschäftsmodelle etwa von AirB&B, Amazon, Apple oder Uber, bedroht der technologische Wandel sogar die Existenz kompletter Branchen. So stellt die Commerzbank (2015) in ihrer jüngsten Mittelstandsbefragung „Management im Wandel: Digitaler, effizienter, flexibler!" fest, dass aus Sicht der in der Studie befragten 4000 Unternehmer die Digitalisierung ein Viertel aller bestehenden Geschäftsmodelle bedroht. Eine ebenfalls Anfang Mai veröffentlichte Studie der ING-Diba Bank[1] zeigt im Rückgriff auf Untersuchungen von Frey und Osborne (2013), dass die durch Roboterisierung, Computerisierung, Internet der Dinge und Industrie 4.0 stattfindenden Veränderungen in der industriellen Produktion allein in Deutschland 18 Mio. Arbeitsplätze gefährden. Im Gegensatz zu den Ergebnissen von Frey/Osborne, die für Amerika einen Verlust von bis zu 47 % der Arbeitsplätze in den Raum stellen, sind dies in Deutschland

---

[1] Maschinen könnten 18 Mio. Arbeitnehmer verdrängen. In: DIE WELT, 02.05.2015, http://www.welt.de/wirtschaft/article140401411/Maschinen-koennten-18-Millionen-Arbeitnehmer-verdraengen.html).

© Springer-Verlag Berlin Heidelberg 2016
F. Glauner, *Zukunftsfähige Geschäftsmodelle und Werte*,
DOI 10.1007/978-3-662-49242-0_1

mit 59 % deutlich mehr als die Hälfte der in der ING-Diba-Studie berücksichtigten 30,9 Mio. Arbeitsplätze sozialversicherungspflichtiger und geringfügig Beschäftigter. Deren Wegfall hätte nicht nur drastische Folgen für das individuelle Einkommens- und Konsumverhalten der Menschen, deren Arbeitskraft innerhalb der Industrie 4.0 Wirtschaft überflüssig wird, sondern angesichts des demografischen Wandels und der sich abzeichnenden Migrationsdynamiken[2] auch für die grundlegenden politischen und wirtschaftlichen Rahmenbedingungen der jeweiligen Länder, die von diesen Veränderungsynamiken betroffen sind.

Diese Bedrohungslage wird vor dem Hintergrund einer weiteren Studie erst recht brisant. Wie A.T. Kearney (2015) in seiner Szenario-Studie „Deutschland 2064 – Die Welt unserer Kinder" feststellt, sind in Deutschland die Top 50 Hidden Champions zu 86 % in traditionellen und lediglich zu 14 % in Zukunftsbranchen tätig, die außerdem zu 94 % vor 1964 und zu 6 % innerhalb der letzten fünfzig Jahre gegründet wurden.

Was für die Wirtschaftsnation Deutschland gilt, gilt auch für andere Industrienationen. Der technologische Wandel birgt Potenziale für neue Geschäftsmodelle, aber auch hohe Risiken für bestehende Branchen, Märkte und die Grundlagen einer Wirtschaftsordnung, die heute noch durch breite aktive Teilhabe geprägt ist. Der drohende Existenzverlust setzt Unternehmen zusätzlich unter Druck. Eine zukunftsfähige Strategieentwicklung muss deshalb nicht nur berücksichtigen, wie sich die Märkte verändern, sie hat auch Antworten darauf zu finden, wie durch

---

[2] „Global warming is likely to uproot hundreds of millions, perhaps even billions of people, forcing them to leave their homes and creating severe global political and economic challenges. The largest numbers of those forced to move by climate change are likely to be in developing countries, especially those that will experience intensifying drought and sea level rise. ... Of the 6 billion-plus humans that currently inhabit the Earth, nearly a fifth are threatened directly or indirectly by desertification. China, India, Pakistan, Central Asia, Africa, and parts of Argentina, Brazil, and Chile all have areas with low rainfall and high evaporation that account for more than 40 % of Earth's cultivated surface. Closer to home, severe droughts and water depletion in the United States have left nearly a third of U.S. land affected by desertification. At the same time, hundreds of millions of people live in river valleys where irrigation is fed by glacier melt and snowmelt. As the glaciers gradually disappear, farmers in the Indo-Ganges Plain and in China's Yellow-River Basin will most likely face severe disruptions in water availability. ... Because such a large portion of the Earth's people live near sea level, a significant rise, even by a foot or two, could cause forced migrations of tens or even hundreds of millions of people. Low-lying coastal zones are also vulnerable to storms surges and increased intensity of tropical storms. Hurricanes Katrina and Rita caused the migration of more than a million people form coastal Louisiana and Mississippi.The Christian development agency Tearfund has estimated that there will be as many as 200 Mio. climate refugees by 2050 and as many as 1 billion by the end of the century if global warming and its impact continue" (Watts 2007, S. 101).

Teilhabe an den grundlegenden Wirtschafts- und Wertschöpfungsprozesse eine gesunde Konsumentenbasis abgesichert werden kann.[3]

Fasst man die Ergebnisse der Studien zusammen, lässt sich für die strategische Ausrichtung von Unternehmen ableiten: Unternehmen stehen heute vor radikalen Herausforderungen, die durch einen multidimensionalen Wandel ausgelöst werden (Dobbs et al. 2015): Im globalen Wettbewerb werden immer mehr Produkte und Dienstleistungen imitiert. Alleinstellungsmerkmale verschwinden, der Druck auf Margen und Erträge steigt. Der Wettlauf um geeignetes Personal sowie die Übernutzung globaler Ressourcen und ein verändertes Verbraucherverhalten fordern Unternehmen zusätzlich. Dabei führt die seit der digitalen Revolution exponentiell ansteigende Flut an Informationen zu einer wachsenden Unübersichtlichkeit. Sie geht mit einem Marktgeschehen einher, bei dem es für fast jedes Produkt und fast jede Dienstleistung ein größeres Angebot gibt als die Konsumenten erfassen und konsumieren können. Die parallele Beschleunigung aller Bereiche der Arbeitswelt und des technologischen Fortschritts führen zudem dazu, dass sich im Markt eine „The Winner takes it all"-Struktur herausbildet, in der einzelne Unternehmen Märkte dominieren, so dass die Basis einer breiten, vielfältigen und gesunden Unternehmenslandschaft weiter erodiert.

Fürstentümer und Königreiche
Bestes Beispiel für die Ausbildung von „Winners take all"-Strukturen (Seba 2006, 2014) und die damit einhergehende Erosion einer breiten, gesund operierenden Unternehmenslandschaft sind die Geschäftsmodelle von Amazon, Apple, Facebook, Google & Co. Deren Kern besteht darin, durch individualisierte Content-, Dienstleistungs- und Vernetzungsangebote abgeschlos-

---

[3] Unterstrichen wird diese Problematik von Konzentration und Teilhabe durch zwei weitere Studien von A.T. Kearney/WHU sowie der Boston Consulting Group (BCG). Während BCG in seiner im April 2015 veröffentlichten Studie „Industry 4.0: The Future of Productivity and Growth in Manufacturing Industries" hervorhebt, dass der Standort Deutschland in den nächsten zehn Jahren deutlich von der Industrie 4.0 profitieren wird, weil aus dem für diesen Zeitraum bezifferten Investitionsvolumen von 250 Mrd. € ein Zuwachs von bis zu 390.000 Arbeitsplätzen sowie ein zusätzliches Wachstum des Bruttoinlandsproduktes von rund 30 Mrd. € beziehungsweise 1 % resultieren würde, bestätigt die von A.T. Kearny und der WHU – Otto Beisheim School of Management erstellte Studie „Exellence in Supply Chain Management" die Ergebnisse der ING-Diba Studie. So erwarten 42 % der von A.T. Keraney und der WHU befragten Unternehmen, dass die Digitalisierung „allein in den nächsten drei Jahren zu Personalreduktionen im Supply-Chain-Bereich um bis zu 20 %" (Pieringer 2015, S. 27) führen wird.

sene „Reiche" zu gründen, die die Nutzer nicht mehr verlassen können bzw. wollen, da ein Ausstieg zu erheblichen Daten-, Content- und Kontaktverlusten führen würde. In ihrer Auswirkung sowohl auf die Nutzer als auch auf die Supply Chain sind diese Geschäftsmodelle mit der Ausbildung feudaler Fürstentümer im Mittelalter vergleichbar. Diese waren ebenfalls von einem Oligopol beherrscht, das seine Macht durch Lehensstrukturen aufrechterhielt. Alle in Fürstentümern Lebenden waren dabei entweder Mitglieder des Hofes, abhängige Lehnsnehmer oder Leibeigene, die durch Abgaben, Steuern und Frondienste das System nährten. Die Geschäftsmodelle etwa von UBER oder AirB&B sind mit diesen Strukturen vergleichbar. So profitiert der Transportdienst UBER davon, dass die freien Fahrer den traditionellen Markt der Taxi-Unternehmen aushebeln. Je mehr das traditionelle Taxigewerbe unter Druck kommt, desto mehr gewinnt UBER, ohne dass dies zu einer Existenzgrundlage jener führen würde, die die Dienstleistung gewährleisten, von der sie nicht mehr leben können. Das gleiche gilt auch für die private Vermittlung von Zimmern über das Internetportal AirB&B sowie für die vielen namenlosen App-Entwickler, die zum Erfolg der Content-Plattformen und App Stores von Apple, Android, Microsoft oder Google beitragen, ohne dass sie davon ein auskömmliches Auskommen nach Hause tragen. Der vielsagende Begriff „working poor" bringt dieses Arbeitsmodell auf den Punkt. D. h. analog zum Mittelalter unterteilen Google & Co. als „Lehnsherren" die Welt in „zum Hofe Gehörige", die an den Erträgen partizipieren, in „Lehnsnehmer" (das sind die abhängigen Lieferanten und Zulieferer wie bei Apple das Unternehmen Foxcon) sowie in „Leibeigene", die Kunden und User, die mit ihren Daten und Wünschen das Imperium füttern, aus dem sie nicht mehr austreten wollen.

Die Ausbildung von „The Winner takes all"-Strukturen ist nicht allein Kennzeichen von Apple, Google & Co., sondern vieler traditioneller Märkte und Industrien, die heute ebenfalls von Oligopolen beherrscht werden. Beispiele dafür sind die Floatglas-Produktion, die Agrartechnologie und Lebensmittelindustrie sowie der Lebensmitteleinzelhandel, dessen Geschäftsgebaren schon fast als ‚inverses Monopol' bezeichnet werden könnte. Mit dem Terminus ‚inverses Monopol' bezeichne ich die Fähigkeit, durch eine bei einem oder bei wenigen Unternehmen liegende Macht der Zugangsbeschränkung einen Markt zu beherrschen.

Oligopole

In der Floatglas-Produktion dominieren vier global agierende Unternehmen, Saint Gobain aus Frankreich, Pilkington aus England, Guardian aus den USA sowie Asahi aus Japan den Weltmarkt. In Europa, wo die vier Unternehmen 80 % des Marktes unter sich aufteilen, führten Preisabsprachen aus den Jahren 2004–2005 zu einer Kartellstrafe von 487 Mio. €, wobei St.Gobain, das schon in frühere Kartellverfahren verwickelt war, mit einer anteiligen Strafe von 134 Mio. € als Wiederholungstäter eigentlich noch deutlich höher hätte bestraft werden können (so Helmut Hauschild im seinem Artikel „EU bestraft Glaskartell mit 487 Mio. €" im Handelsblatt vom 29.11.2007).

Ohne kartellrechtlich belangt worden zu sein, ist eine ähnliche Konzentration bei den Saatgutherstellern sowie den Düngemittelherstellern zu verzeichnen. Während im Markt der Saatguthersteller zehn Unternehmen 74 % des Weltmarktes beherrschen, dominieren im Markt der Agrarchemie zehn Unternehmen „89 % of the global agrochemical market" (http://www.gmwatch.eu/latest-listing/1-news-items/10560-the-worlds-top-10-pesticide-firms-who-owns-nature). Dabei zählen die Unternehmen Bayer, DuPont, Monsanto und Syngenta in beiden Märkten zu den Marktführern. Wie die Deutschen Wirtschafts Nachrichten DWN am 07.05.2013 schreiben, teilen sich mit zunehmender Konzentration „nur eine Handvoll globaler Saatgut-Konzerne den Weltmarkt untereinander auf." Laut DWN wurden die Umsätze des globalen kommerziellen Saatgutmarktes von der ETC Group „für 2009 auf gut US$27 Mrd. geschätzt. Die zehn größten Konzerne beherrschen 74 % dieses weltweiten Saatgutmarktes. Der größte Saatguthersteller, Monsanto, kontrolliert allein 27 %. Bei Zuckerrüben beträgt der Marktanteil der drei größten Saatgutproduzenten 90 %, bei Mais 57 % und bei Sojabohnen 55 %. 1996 hielten die zehn größten Unternehmen der Saatgutindustrie zusammen noch einen Marktanteil von weniger als 30 %. Heute kontrollieren allein die drei umsatzstärksten Unternehmen – Monsanto, DuPont und Syngenta – 53 % des Marktes. Und zu dieser horizontalen Konzentration (mehr Marktanteile für immer weniger Firmen) kommt auch noch die vertikale Konzentration dazu: Die Konzerne wollen zunehmend auch die vor- und nachgelagerten Bereich kontrollieren. Dabei geht es um die Kontrolle der Wertschöpfungskette und den Zugriff auf billige Rohstoffe" (DWN, Saatgut: Drei Konzerne bestimmen den Markt für Lebensmittel, 07.05.2013, http://deutsche-wirtschafts-nachrichten.de/2013/05/07/saatgut-drei-konzerne-bestimmen-den-markt-fuer-lebensmittel/).

Zur Thematik der Kartell-Situation vermerkt der ETC-Bericht „Who owns the nature: the seed industry" laut der NGO GMWatch: „The Gene Giants are forging unprecedented alliances that render competitive markets a thing of the past. By agreeing to cross-license proprietary germplasm and technologies, consolidate R&D efforts and terminate costly IP litigation, the world's largest agrochemical and seed firms are reinforcing top-tier market power for mutual benefit. The trend isn't new, but the tech cartel deals are getting bigger and bolder."

In March 2007 the world's largest seed company (Monsanto) and the world's largest chemical corporation (BASF) announced a $1.5 billion R&D collaboration to increase yields and drought tolerance in maize, cotton, canola and soybeans.

ETC Group refers to this kind of partnership as a „non-merger merger" – all the benefits of consolidation and oligopoly markets without the anti-trust constraints. Industry analysts expect the agreements to have „lasting repercussions throughout the seed, biotech and crop protection industries."

Als Beispiele für solche Technologie-Kartelle führt der Bericht aus:

Monsanto (the world's largest seed company) and BASF (the world's #3 agro-chemical firm) announce colossal $1.5 billion R&D collaboration involving 60/40 profit-sharing, respectively. „This is a great step forward in bringing to farmers higher yielding crops…" – BASF & Monsanto, joint news release (March 2007)

Monsanto & Dow Agrochemicals join forces to develop the first-ever genetically engineered maize loaded with eight genetic traits, for release in 2010. „Farmers will have more product choices to optimize performance and protection…." – Dow news release (Sept. 2007)

Monsanto and Syngenta agree to call a truce on outstanding litigation related to global maize and soybean interests, and forge new cross-licensing agreements. „We're pleased … to put farmer customers first and reach an agreement that offers them tremendous benefits and choice in the seasons ahead." – Monsanto news release (May 2008)

Syngenta & DuPont announce an agreement that will broaden each company's pesticide product portfolios. „These products, which are highly complementary to our portfolio and pipeline, will provide additional options for growers…" – DuPont & Syngenta, joint news release (June 2008).

From industry's point of view, two or three biotech traits are a lot better than one because double and triple stacked traits generate nearly twice the profitability. Monsanto introduced its first double-stack trait variety in 1998, and its first triple-stack trait hit the market in 2005. A Monsanto spokesman told Progressive Farmer that 76% of the maize seed it sells in the U.S. in 2009 will be triple-stack varieties.

At a July 2008 meeting, Monsanto officials announced plans to raise the average price of some of the company's triple-stack maize varieties a whopping 35%. Fred Stokes of the U.S.-based Organization for Competitive Markets (OCM) describes the implications for farmers: „A $100 price increase is a tremendous drain on rural America. Let's say a farmer in Iowa who farms 1000 acres plants one of these expensive corn varieties next year. The gross increased cost is more than $40,000. Yet there's no scientific basis to justify this price hike. How can we let companies get away with this?" (http://www. gmwatch.org/gm-firms/10558-the-worlds-top-ten-seed-companies-who-owns-nature)

Was für die Agrartechnologie gilt, gilt auch für die Lebensmittelindustrie. Wie Studien von A.T. Kearney und von OXFAM vermerken, kontrollieren 300 bis 500 der weltweit 1,5 Mrd. Nahrungsmittelerzeuger 70% der zur Auswahl stehenden Lebensmittel (Donnan et al. 2014, S. 1; OXFAM 2013, S. 5): „In a world with 7 billionn food consumers and 1.5 billion food producers, no more than 500 companies control 70% of food choice." Dabei gilt auch hier, dass die Top 10 den Löwenanteil des Marktes unter sich aufteilen: „In fact, the ‚Big 10' – Associated British Foods (ABF), Coca-Cola, Danone, General Mills, Kellogg, Mars, Mondelez International (previously Kraft Foods), Nestlé, PepsiCo and Unilever – collectively generate revenues of more than $1.1 bn a day and employ millions of people directly and indirectly in the growing, processing, distributing and selling of their products. Today, these companies are part of an industry valued at $7 trillion, larger than even the energy sector and representing roughly ten percent of the global economy" (OXFAM 2013, S. 5).

Inverse Monopole

Das Phänomen inverser Monopole, d. i. die Marktbeherrschung durch Ausübung von Zugangsbeschränkungen, kann an der Einkaufsmacht im Handel verdeutlicht werden. So wird beispielsweise der deutsche Lebensmittelhandelsmarkt laut der vom Bundeskartellamt am 29.04.2014 veröffentlichten Sektor-Untersuchung im Lebensmitteleinzelhandel zu 85% von vier Unternehmen, Aldi, Edeka, Lidl/Kaufland und REWE dominiert. Diese üben mit ihrer Einkaufsmacht nicht nur erheblichen Druck auf die Zulieferer aus, sondern fahren parallel dazu eine forcierte Strategie der gespreizten Entwicklung von günstigen bis hochwertigen Eigenmarken. Markenunternehmen sehen sich hierbei einem dreifachen Druck ausgesetzt, der zu einer kontinuierlich sich steigernden Einkaufsmonopolmacht der Handelsketten führt: erstens können insbesondere kleine und mittelständische Produzenten ihre Waren und Produkte nur noch dann an die Handelsketten verkaufen, wenn sie die vom Handel eingeforderten Rabatte, Bonus-Zahlungen und Werbekostenzuschüssen für die Listung, die Regalstellfläche sowie die vom Handel geforderten Kundenaktionen bezahlen. Da diese Rabatte und Zahlungen für die vom Handel entwickelten Eigenmarken nicht erhoben werden, kommen die freien Handelspartner zusätzlich unter Druck. Dieser wird durch eine dritte Facette der Geschäftsstrategien der großen Handelsketten noch erhöht. Denn die Eigenmarkenentwicklung geht häufig einher mit der vertikalen Integration der Supply Chain, d. i. von handelseigenen Produktions- und Verarbeitungsstätten. Dies führt zu weiteren Kostenvorteilen auf Seiten des Handels, die die Handelspartner der großen Ketten zusätzlich unter Druck setzt.

Für die bisher gültigen Strategiekonzepte, die in der Regel auf Zeithorizonte von fünf bis sieben Jahren ausgelegt sind, bedeutet dies, dass das Strategiegeschäft, wie die Kinder des Kronos von der Zeit, d. i. von der Geschwindigkeit des Wandels gefressen wird. Vergegenwärtigen wir uns hierzu die *Zeitrelation von Veränderungsaufwand und dadurch erzielten Wettbewerbsvorteilen* vor dem Hintergrund der technologiegetriebenen Megatrends der Beschleunigung aller Prozesse, der Entgrenzung angestammter Märkte und Dienstleistungen, des Wegfalls angestammter Geschäftsfelder und Geschäftsmodelle sowie des Verlustes von Alleinstellungsmerkmalen (Glauner 2015). Ab dem Zeitpunkt, wo ein Neuentwicklungsprozess für veränderte Produkteigenschaften auf den Weg gebracht wird, beträgt diese Zeitrelation 2:3 Jahre, d. h. Unternehmen erzielen mit einem Entwicklungsaufwand von bis zu zwei Jahren einen Wettbewerbsvorteil, der maximal ein zusätzliches Jahr trägt. Verändert man Fertigungsverfahren, lautet die Relation 2:4 Jahre und bei neu gestalteten Aufbau- und Ablauforganisationen 3:5 Jahre. Da die Beschleunigung der Veränderungsintervalle sowohl die Verfügbarkeit an Informationen als auch den globalen Wettbewerb steigert, verkürzt sich die Zeitrelation erzielter Wettbewerbsvorteile immer schneller. In der Folge verkehrt sich die Relation von Aufwand und Ertrag aus solchen Entwicklungen. Deshalb rentieren sich Neuentwicklungen im Bereich von Produkteigenschaften, Fertigungsverfahren sowie Aufbau- und Ablauforganisationen immer weniger, da einem immer höheren Aufwand für Veränderungen am Ende immer kürzer tragende Wettbewerbsvorteile gegenüberstehen.

Langfristige Wettbewerbsvorteile liegen deshalb außerhalb der klassischen Strategiefelder Produktentwicklung, Fertigungsverfahren und Organisationsentwicklung. Hier kommt die *Organisationskultur* ins Spiel, d. i. die Veränderungen aus Denken, Verhalten, Wissen und Werten. Sie benötigt mindestens fünf Jahre, sichert aber bei zukunftsfähigen Organisationskulturen bis zu 20 Jahre lang Wettbewerbsvorteile. Dies beruhen erstens darauf, dass die Organisationskultur langfristig das Verhalten und damit den Bewegungsraum eines Unternehmens bestimmt und zweitens, anders als die Faktoren Produkteigenschaften, Fertigungsverfahren, Aufbau- und Ablauforganisationen, nur schwer kopiert werden kann. Hier kommt die Krux der Strategieentwicklung zum Vorschein. Denn Unternehmensstrategien entspringen einem Werteverständnis, das in der Organisationskultur gespiegelt wird. Erfordert die Ausbildung einer spezifischen Organisationskulturen einen Entwicklungs- bzw. Veränderungsaufwand von mindestens fünf Jahren und führt das zu Wettbewerbsvorteilen, die bis zu zwanzig Jahre tragen, bedeutet dies im Umkehrschluss, dass eine Organisationskultur, die nicht von zukunftsfähigen Denk- und Verhaltensweisen getragen ist, das Unternehmen über lange Jahre gleich einem Tanker auf falschem Kurs steuert. Aufgrund der Langfristigkeit für einen Umsteuerungsprozess droht dann das Unternehmen an den Klippen der beschleunigten kurzfristigen Veränderungsspiralen zu zerschellen.

Für die Strategieentwicklung hat das gravierende Konsequenzen. Es genügt heute nicht mehr, wie in den Strategiekonzepten aus den 1980er und 1990er Jahren empfohlen, mit umfassenden Markt- und Wettbewerbsanalysen auf den immer schneller werdenden Wandel zu reagieren. Anstelle Veränderungen nachzulaufen, müssen die Treiber sowie die Folgen in den Blick genommen werden, die den Wandel prägen. Dabei dürfen das Wandlungsgeschehen und dessen Auswirkungen nicht mehr mit den Brillen eines ökonomischen Verständnisses betrachtet werden, das mit seinen Modellen gerade die Entwicklungen vorantreibt, die heute so viele Unternehmen und Geschäftsmodelle in ihrer Existenz bedrohen. Mit Blick darauf sind deshalb auch die Glaubenssysteme und mentalen Modelle zu hinterfragen, die der Binnenlogik der traditionellen ökonomischen Denkweisen zugrunde liegen. Gefordert ist somit ein mentales Modell zukunftsfähiger Unternehmensführung, das nicht mehr nur auf die sich abzeichnenden Veränderungen reagiert (Aurik et al. 2015), sondern deren Wirkungen ins Visier nimmt und neue Wege aufzeigt, wie aus ihnen Geschäftsmodelle für die Lebenswelt von morgen abgeleitet werden können.

Angesichts der zunehmenden Dynamisierung, Vernetzung und Verdichtung aller Märkte und Prozesse stehen Unternehmen in ihrer strategischen Ausrichtung vor drei Aufgaben: *Erstens* müssen sie sich in immer schnelleren Zyklen neu erfinden. Ihr Erfolg und Ihre Zukunftsfähigkeit hängen dabei von der Entwicklung Nutzen stiftender Geschäftsmodellen für Überflussmärkte ab. Diese sind auch auf lokaler Ebene von einer sich stetig beschleunigenden Veränderungsspirale geprägt, die die bisher gültigen Zeithorizonte von Unternehmensstrategien obsolet erscheinen lässt. Um in den Märkten der Zukunft bestehen zu können, benötigen Unternehmen *zweitens* die Fähigkeit zugleich hochflexibel und unverwechselbar zu sein. Die Lösung dieses *„Paradoxon der Unternehmensführung"* (Glauner 2016) erfordert die Entwicklung von tragfähigen Beziehungskulturen zum Aufbau von Hochleistungsteams sowie die Gestaltung von Wertschöpfungskreisläufen und Mehrwertketten für substanzielle Nutzenstiftungen. *Drittens* stehen Unternehmen vor der Aufgabe, aus der Flut von Daten, Beziehungen und Abhängigkeiten jene Zusammenhänge abzuleiten, die Wettbewerbsvorteile sichern. Die praxistaugliche Beherrschung faktischer Komplexität rückt so immer mehr in den Vordergrund einer erfolgreichen Unternehmensführung.

Alle drei Aufgaben einer zukunftsfähigen Unternehmensführung erfordern ein verändertes Verständnis von Menschen und Zielen. Es gründet in einem neuen Wertebewusstsein, das nicht nur den Kern der Strategieprozesse verändert, sondern zudem erklärt, warum auch sorgfältig ausgeführte Strategieprozesse und Veränderungsinitiativen allzu oft scheitern. Folgt man den Befunden von John P. Kotter (1995), scheitern 70 % aller angestrebten Veränderungsprozesse mangels geeigneter Umsetzungsmaßnahmen. McKinsey führt dies auf eine mangelhafte Gestaltung und Umsetzung der Unternehmensstrategie zurück und moniert, dass sich selbst vierzehn Jahre nach den Befunden von Kotter an dieser Sachlage nichts geändert habe (Keller und Aiken 2009). Ihre Auswertung von 1546 Interviews mit Managern ergab, dass aus Sicht der befragten Unternehmen lediglich 30 % der strategisch angestrebten Ziele in der Realität komplett bzw. weitgehend erreicht wurden.

Auch wenn am Narrativ der 70 zu 30 Quote gezweifelt werden kann (Hughes 2011), zeigt ein Blick in die täglichen Wirtschaftsgazetten, dass das Erreichen angestrebter Ziele zwar nicht die orchideenhafte Ausnahme ist, zugleich aber auch nicht die gültige Regel. Weshalb also scheitern strategische Entscheidungen oft auch dort, wo sie den State-of-the-Art-Rezepten namhafter Theoretiker und Praktiker der Strategie- und Organisationsentwicklung, etwa John P. Kotter, Gilbert B. Probst, Micheal E. Porter, Gary Hamel und Coimbatore Krishnarao Prahalad sowie den Beratern von McKinsey, Boston Consulting oder Bain, konzipiert wurden? Liegt es wirklich, wie Aiken und Keller (2009) monieren, an der scheinbaren Irrationalität von Managemententscheidungen und dem damit einhergehenden Mangel einer stringent gelebten Umsetzungs- und Veränderungskultur? Ich glaube, „Nein"! Nehmen wir **Nokia Oyj** und **Apple Inc.** als Beispiel. Beide Unternehmen wurden in den Jahren 2004 bis 2011 mit klaren Strategien geführt, die in den Organisationen auch konsequent umgesetzt wurden. Trotz dieses Sachverhalts bewegten sich beide Unternehmen in dieser Zeit mit äußerst unterschiedlichem Erfolg in ihrem Kernmarkt, dem Markt der Smartphones. Im Unterschied zu Apple, das den Markt der ursprünglich auch von Nokia mit entwickelten Mobiltelefone sozusagen im Alleingang veränderte, verfehlte der bis dahin unangefochtene Marktführer Nokia in diesem Zeitraum seinen Kernmarkt komplett. In der Folge musste Nokia das Kernsegment seines Geschäftes aufgeben, was durch die Übernahme der Mobiltelefonsparte durch Microsoft im April 2014 besiegelt wurde.

Was waren die Gründe dafür, dass der noch Anfang der 2000er-Jahre unangefochtene Technologie- und Branchenführer Nokia in seinem Kerngeschäft so grandios scheiterte? Nicht eine unvorhergesehene technologische Disruption, d. h. die radikale Änderung der Spielregeln durch die Entwicklung eines radikal neuen Produktes, wie es beispielsweise Apple 30 Jahre zuvor mit der Erfindung des PCs betrieb und so den Giganten IBM in eine existenzielle Schieflage brachte. Auslöser der Krise von Nokia war vielmehr ein unterschiedlicher Fokus auf den Markt und das Marktgeschehen und damit eine andere Strategie im Umgang mit Menschen und Werten. Deutlich wird dies, wenn wir den Fokus der Kernstrategien von Apple und Nokia vergleichen.

Nokia wie Apple zielten auf eine klassische Dominanzstrategie, die die Branchenführerschaft durch eine umfassende Technologieführerschaft absichern sollte. Hierbei setzte Nokia seinen Fokus auf das Produkt sowie die produktspezifische Wertschöpfungskette der Infrastruktur- und Ausrüstungskomponenten. Im Rahmen einer Differenzierungsstrategie betrieb Nokia deshalb nicht nur die Entwicklung von Mobiltelefonen, sondern auch die Entwicklung von Hard- und Softwarekomponenten für Daten- und Mobilfunknetze sowie von flankierenden Beratungsleistungen zur Konzeption, Installation und Wartung solcher Netzwerke. Hierzu wurde 2007 in einem Joint Venture mit Siemens die Nokia Siemens Networks B.V. gegründet, welche 2013 von Nokia komplett übernommen und in Nokia Solutions and Networks umbenannt wurde. Ziel dieser Strategie war es, im Mobiltelefongeräte-Markt über die gesamte Telekommunikations-Ausrüstungskette hinweg – also beginnend bei der Beratung, Installation und Wartung von Funknetzwerken über die eigenständige Fertigung und Lieferung von Hard- und Softwarekomponenten für diese Netzwerke bis hin zur Herstellung der Endgeräte – eine möglichst hohe integrierte Wertschöpfung zu generieren. Nokia fokussierte sich so auf die Prozesskette des Aufbaus, der Ausrüstung und des Betriebs von mobiler Telekommunikation inklusive aller Komponenten bis hin zu den Endgeräten.

Apple dagegen richtete sein Augenmerk nicht auf die von Nokia, Ericsson und Alcatel-Lucent fokussierte Produktion von Hard- und Softwarekomponenten für mobile Telekommunikation und Telekommunikationsnetzwerke, sondern auf die

Schnittstelle zwischen Mobilfunkendgerät und den es nutzenden Menschen, d. h. auf das Schnittstellendesign des „human interface". Damit begründete Steve Jobs im eigentlichen Sinn allererst die Vision des smarten Telefonierens. Man konzentrierte sich somit nicht primär auf die produktfokussierte Beherrschung der technischen Prozesskette für mobile Kommunikation, sondern auf die Entschlüsselung der menschliche Bedürfnisstruktur beim mobilen Telefonieren, d. h. an den auch ästhetischen und bedienungspraktischen Wünschen und Träumen potenzieller Kunden. Diese – so die Überzeugung von Apple – suchten primär nicht ein top technisches Mobiltelefon, sondern ein sich intuitiv erschließendes „device", mit dem das Bedürfnis nach umfassender Vernetzung und multimedialem Austausch aller mit allen über alles möglich würde. Entsprechend sollte das Smartphone die Plattform und das Medium sein, über das Fotos, Videos, Musik, Gespräche und sonstige Daten und Inhalte ausgetauscht werden. Geleitet durch diesen Nutzenfokus betrieb Apple bei der Entwicklung des iPhones eine konsequente Vorwärtsintegration sowohl unterschiedlichster Medienformate als auch von Content-Plattformen wie iTunes und Apple App-Store. Dieser Ansatz eröffnete Apple auch die Möglichkeit, seine Geschäftsmodelle in immer weiteren Facetten auszubauen.[4] Nokia verlor derweil mit seinem ökonomisch induzierten Fokus auf die Rückwärtsintegration der Technologiekette die Bedürfnisse der Endnutzer aus den Augen.

Der zentrale Unterschied zwischen den Strategien von Apple und Nokia bestand so darin, dass Apple eine Strategie der Vorwärtsintegration betrieb, die in der Konzentration auf das Schnittstellendesign des human interfaces zu einer nutzen- und contentbezogenen Neuorganisation der Wertschöpfungskette „Telekommunikation" führte, während Nokia eine rückwärtsintegrierte Strategie der ökonomischen Wertschöpfung betrieb, die sich mit den Mitteln der Systemintegration auf eine tiefgestaffelte Dominanz der bestehenden technologischen Produkt- und Prozessketten konzentrierte. Dies führte dazu, dass Nokia beim Verfehlen des Smartphone-Marktes an umfangreiche Produktions- und Entwicklungskapazitäten

---

[4] Wie Carsten Knop in der FAZ vom 10. Juni 2015 im Artikel „Apple programmiert das digitale Leben neu" ausführt, eröffnete Apple bei der jüngsten Entwicklerkonferenz seine neuen Strategien im Bereich einer vorwärtsintegrierten Integration von Geschäftsmodellen. So wird unter „Apple Music" der iTunes-Store mit einem Streamingdienst für Musikdownload on demand verschmolzen und unter Apple News ein neuer Content-Kanal für Nachrichten eröffnet. Partner zur Markteinführung sind laut Apple knapp 20 Medienhäuser, darunter der „Economist", „Buzzfeed", die Nachrichtenagentur Blomberg und die amerikanische Traditionszeitung „The New York Times", die zum Start 33 Artikel am Tag zur Verfügung stellen wird. Das als App downloadbare Portal soll „zu einer Million Themen" Inhalte liefern. Zudem wird Apple seinen Bezahldienst Apple Pay auch in Großbritannien anbieten und verfügt in den USA schon bald über mehr als eine Million Akzeptanzstellen. Dadurch „kommt Apple ganz eindeutig traditionellen Banken in der Abwicklung des Zahlungsverkehrs ins Gehege".

zur Fertigung von Systemkomponenten gebunden war, was die Krise von Nokia noch verschärfte, da das dort gebundene Finanz- und Humankapital nicht flexibel abgezogen und anderweitig eingesetzt werden konnte. Der Verlust der Mobiltelefonsparte wurde so zusätzlich nach oben gedrückt. Apple fuhr dagegen schon damals eine Strategie der schlanken Produktion, indem es seine Fertigung netzwerkorientiert auslagerte. Dadurch kann Apple auch heute noch jederzeit schlank und flexibel auf unerwartete Marktanforderungen reagieren.

Vergleichen wir die Strategien von Nokia und Apple aus der Distanz, kommt das zentrale Problem jeder Strategieentwicklung in den Blick: *Was leitet den Prozess der Strategieentwicklung? Die Antwort auf diese Frage liefert den Schlüssel sowohl für das Scheitern von Nokia als auch für den Erfolg von Apple. Es sind zumeist unreflektierte Werte, die den Blick von Unternehmen prägen. Passen sie zur gewählten Strategie und passt diese zur Wirklichkeit, beflügeln sie unternehmerischen Erfolg*, natürlich gesetzt, dass beide, die Strategie und die dahinter liegenden Werte in den Organisationen auch konsequent gelebt und umgesetzt werden. *Passen die Werte dagegen nicht zur strategisch betrachteten Wirklichkeit, verfehlen Unternehmen ihre Ziele auch dann, wenn die Strategie in der Organisationen konsequent umgesetzt wird.*

Dieser Einbruch der Werte in das zumeist rational-mechanistische Denken der Strategieentwicklung verändert nicht nur die Perspektive auf die Frage nach den geeigneten Zielen gelungener Strategieentwicklung, sondern er führt auch dazu, dass die Rationalität der Strategieentwicklung selbst und damit die der betriebswirtschaftlichen Sicht auf den Unternehmenszweck insgesamt zu hinterfragen ist.

Literatur

Aiken C, Keller S (2009) The irrational side of change management. McKinsey Q 2:100–109. http://www.mckinsey.com/insights/organization/the_irrational_side_of_change_management

Aurik J, Fable M, Jonk G (2015) The future of strategy. A transformative approach to strategy for a world that won't stand still. McGraw-Hill, New York

Commerzbank (2015) Management im Wandel. Digitaler, effizienter, flexibler! Commerzbank AG, Frankfurt a. M.

Dobbs R, Manyika J, Woetzel J (2015) No ordinary disruption. The four global forces breaking all the trends. PublicAffairs, New York

Donnan D, Piatek J, Peters J, Thomas A (2014) Rethinking supply in food and beverage. A.T. Kearney, Chicago. http://www.atkearney.de/documents/856314/5530422/BIP+Rethinking+Supply+in+Food+and+Beverage.pdf/7bbef03b-cdfc-4f1a-bc0e-8a214a5f7a76

Foster R, Kaplan S (2002) Schöpfen und Zerstören: Wie Unternehmen langfristig überleben. Redline Wirtschaft, Frankfurt a. M. („Creative Destruction. Why Companies That Are Built to Last Underperform the Market – and How to Successfully Transform Them." (Currency) New York, London, Toronto, Sydney, Auckland)

Frey CB, Osborne MA (2013) The future of employment: How susceptible are jobs to computerisation? http://www.oxfordmartin.ox.ac.uk/downloads/academic/The_Future_of_Employment.pdf. Zugegriffen: 17. Sept. 2013

Gilbert C, Eyring M, Foster RN (2013) Duale Transformation. Harv Bus Manage 2:34–44

Glauner F (2016) Werteorientierte Organisationsentwicklung. In: Schram B, Schmidpeter R (Hrsg) CSR und Organisationsentwicklung. Springer, Berlin.

Hughes M (2011) Do 70% of all organizational change initiatives really fail? Special Issue: Why Does Change Fail What Can We Do About It? J Chang Manage 11(4):451–464. do i:10.1080/14697017.2011.630506

Kearney AT (2015) A.T. Kearney 361°: Warum interessiert uns eigentlich die Welt unserer Kinder nicht? Die A.T.Kearney Szenarien „Deutschland 2064 – Die Welt unserer Kinder". https://www.atkearney.de/documents/856314/5349195/Deutschland+2064+-+Auftaktpublikation.pdf/b9f5a9f3-9e82-48d7-a20a-6f3bdf6d755c

Keller S, Aiken C (2009) The inconvenient truth about change management. Why it isn't working and what to do about it. McKinsey & Company. New York, NY. http://www.aascu.org/corporatepartnership/McKinseyReport2.pdf

Kotter JP (1995) Leading change. Why transformation processes fail. Harv Bus Rev :59–67

Pieringer M (2015). Neues Zusammenspiel. Industrie 4.0. Vernetzung und Digitalisierung: Was Unternehmen tun, die sich bereits auf den Weg in Richtung Industrie 4.0 gemacht haben. Logistik heute 5:24–29.

Seba T (2006) Winners take all. The 9 Fundamental Rules of High Tech Strategy. San Francisco

Seba T (2014) Clean Disruption of Energy and Trasnportation. How Solicon Valley will Makt Oil, Nuclear, Natural Gas, Coal, Electric Utilities and Conventional Cars Obsolete by 2030. San Francisco

OXFAM (2013, 26. Feb.) Behind the Brands. Food justice and the ‚Big 10' food and beverage companies. 166 OXFAM Briefing Paper (OXFAM International) Oxford. http://www.oxfam.de/sites/www.oxfam.de/files/bp166-behind-brands-260213-embargo-en.pdf.

Watts RG (2007) Global warming and the future of the earth. Synthesis lectures on energy and the environment: technology, science, and society #1. Morgan&Claypool, San Rafael

Strategieentwicklung heute: die Fiktion rationaler Unternehmensführung

Einschlägige Autoren wie Porter (1985, 1996) oder Hamel und Prahalad (1990, 1995) behaupten, Strategieentwicklung sei der Königsweg zu den Wettbewerbsvorteilen von morgen. Für Unternehmen ist sie die Kerndisziplin der Unternehmensführung, da sie alle Aufgaben der Unternehmensführung einem übergeordneten Ziel unterordnet (Müller-Stewens und Lechner 2003, S. 20 ff.). Ausgehend von den drei Fragen „Was ist unsere wahre Passion? Worin können wir die Besten sein? Was ist unser wirtschaftlicher Motor?" (Collins 2001, S. 95 f.), reflektiert die Strategieentwicklung das Geschäftsmodell und leitet davon Produkte, Märkte, Zielgruppen und Kunden des Unternehmens ab. Sie ist somit das rationale Verfahren zukunftsfähiger Unternehmensführung, „rational" hier verstanden als regelhaftes Verfahren, das in messbaren Input-Output-Relationen Erfolg planbar macht.

Tatsächlich steht aber aus drei Gründen in Frage, ob Strategieentwicklung das rationale Verfahren zur Planung unternehmerischer Erfolge darstellt. Sie betreffen die Undurchsichtigkeit der Wirklichkeit.

Glaubenssysteme, Rationalität und Wirklichkeit

Folgt man der Diskussion zu den Grundlagen rationalen Denkens (Gosepath 1992), gründet Rationalität in vernunftgeleitetem, zweckorientiertem Denken und Handeln. ‚Rational' denkt und handelt ein Mensch für uns dann, wenn er unter Abwägung möglicher Alternativen mit guten Gründen sowohl die Wahl seiner Ziele als auch die Wahl der zur Zielerreichung eingesetzten Mittel und Wege belegt und rechtfertigt. Rationalität ist in diesem Verständnis immer schon eingebunden in einen „Um-zu"-Zusammenhang (Heidegger 1927), der dem Handlungsgeschehen einen prägenden Rahmen verleiht. Hierbei ist es irrelevant, ob dieser Rahmen zur Erklärung des spezifischen

© Springer-Verlag Berlin Heidelberg 2016
F. Glauner, *Zukunftsfähige Geschäftsmodelle und Werte*,
DOI 10.1007/978-3-662-49242-0_2

„Um zu" zweck- oder wertrational geprägt ist (Weber 1904, 1918). Denn beide Begründungsstrategien teilen dieselbe Struktur. Sie besteht darin, dass wir eine Handlung nur dann als rational qualifizieren, wenn wir sie aus einem Rahmen heraus interpretieren, von dem aus die Handlung als richtig und folgerichtig erscheint. Dieser Rahmen ist das Wirklichkeitsverständnis, in das unsere Handlungen eingebettet sind und nach dem wir unsere Handlungen ausrichten. Ob etwas rational ist oder nicht, hängt somit nicht von der konkreten Handlungsabfolge, sondern von der Bewertung ab, ob das hinter der Handlungsfolge liegende Wirklichkeitsverständnis aus unserer Sicht richtig oder falsch ist. Damit aber wird Rationalität und rationales Handeln eine Funktion des richtigen Wirklichkeitsverständnisses, aus dem heraus ein Mensch oder eine Unternehmen allererst handelt.

Genau hier setzt das Unbehagen an der Rationalität unserer Entscheidungsfindungen an. Denn was „wirklich" ist, ist immer schon eine Frage der Interpretation. Glaube, Aberglaube und Wissen als Treiber unseres Wirklichkeitsverständnisses sitzen dabei im selben Boot. Deshalb genügt es nicht, auf das unterstellte „So-sein" der Welt zu pochen und zu behaupten, dass das, was für uns wirklich ist, notwendig auch *DIE* Wirklichkeit sei, darin unterstellend, dass sie in den von uns wahrgenommenen Bahnen verläuft. Nehmen wir ein Beispiel. Schlagen wir mit der Hand auf den Tisch, erfahren wir je nach Aufschlagwinkel, Handhaltung und Aufschlaggeschwindigkeit den schmerzhaften Widerstand des Konkreten. Dabei wird von uns alles philosophische Zweifeln an der Welt ebenso zurückgewiesen, wie die Vorstellung, dass die soeben vollzogene Welterfahrung lediglich ein Interpretationskonstrukt sei (Abel 1993), das sich aus rekursiv operierenden Rückkopplungsschleifen einer psychologisch (Watzlawick 1976, 1988), kognitionsbiologisch (Maturana 1970, 1978; Maturana und Varela 1975) oder physikalisch-kybernetisch interpretierten Erfahrung konstituiert (von Foerster 1972, 1987, von Glasersfeld 1995). Nein, wenn wir mit der Faust auf den Tisch hauen, bleibt er in unserer Wahrnehmung ein Tisch mit Ecken und Kanten, auch wenn uns die Physik glauben machen will, dass es sich auch bei diesem Objekt unserer Erfahrung um die Ansammlung eines Schwarms von Atomen handelt, der so durchlässig sei wie die Luft für unsere auf den Tisch schlagende Hand.

Was also ist Wirklichkeit? Nur ein Konstrukt oder doch mehr und etwas sicheres, nämlich das Erfahrungsfeld unverrückbarer Gesetzmäßigkeiten, das unser Bedürfnis nach einer sicher strukturierten Welterfahrung befriedigt und rationales Handeln allererst ermöglicht? Bleiben wir in unserer durch unsere Anschauung und den Verstand geprägte Lebenswelt, glauben wir, dass die Gesetzmäßigkeit der Welt mit vielfach empirisch belegten Gründen so funktioniert, wie wir sie beschreiben. Dabei verkennen wir, dass wir im Pochen auf die unverrückbare Gesetzlichkeit der Natur lediglich darauf vertrauen, dass alles, was für uns wirklich ist, so ist, wie wir es durch die Filter unserer Erfahrung wahrnehmen.

Diese Filter unserer Wahrnehmung, und damit die grundlegende Perspektivität unseres Wirklichkeitsverständnisses, treten besonders deutlich hervor, wenn wir uns die gebundene Objektivität unserer naturwissenschaftlichen Welterklärungen vergegenwärtigen. Schon seit Kants Bestimmung der Grenzen der Vernunft (Glauner 1990), spätestens jedoch seit den wissenschaftstheoretischen Erkenntnissen von Pierre Duhem (1908) und Thomas Kuhn (1962) zum paradigmatischen Wesen wissenschaftlicher Theoriebildung sowie den von Heinz von Foerster (1972, 1987) und Ernst von Glasersfeld (1995) formulierten Erkenntnissen zur kybernetischen Konstruktion von Wirklichkeit, wissen wir, dass die Gegenstände unserer naturwissenschaftlichen Wahrnehmung allererst durch unsere Theorien, Beobachtungs- und Messverfahren konstituiert werden. Dabei ist unser Weltverständnis nicht nur theoriegebunden, sondern auch von der Gegenständlichkeit der Welt her un- und unterbestimmt (Quine 1960). Was für uns existiert, ist immer schon ‚ontologisch relativ' (Quine 1969). Die Welt ändert sich im Sog immer neuer Theorieentwürfe – den sogenannten wissenschaftlichen Revolutionen – in ihrer grundlegenden Form, Funktion und Zusammensetzung. Sie ist nur das, als was wir sie beschreiben.

Was für die Naturwissenschaften gilt, gilt umso mehr für die Human- und Sozialwissenschaften. Wir beobachten nicht eine unabhängige Realität, sondern konstruieren sie in unseren mannigfaltigen „Weisen der Welterzeugung" (Goodman 1978). Was wir darin wahrnehmen, ist eine Funktion unserer Weltsichtfilter (Bateson 1979), d. i. der Begriffsschemata (Davidson 1974), mit der wir sie beschreiben. Mit Martin Heidegger und Ludwig Wittgenstein gesprochen gründen diese Filter in unserer Lebenspraxis, d. i. den lebensweltlich geprägten Sprach- und Handlungspraxen und den in ihnen verkörperten „Zeugzusammenhängen". Da diese nicht von einem neutralen Punkt aus objektiviert werden können (Glauner 1997), gründet die Rationalität unseres Selbst- und Weltverständnisses letztlich in soziokulturellen Prägungen, auf die wir immer schon zurückgreifen, wenn wir Aussagen über die Welt treffen. Das aber führt uns zur Einsicht, dass in der Beschreibung der Welt viele Versionen möglich sind und keine allein nur zwingend ist. Wie Paul Feyerabend sowohl gegen die Adepten einer positivistischen Wissenschaftsauffassung und des logischen Positivismus als auch gegen scheinbar aufgeklärte Methoden einer rationalen Wissenschaft, wie beispielsweise Poppers Fallibilismus (Popper 1935) argumentiert, sind alle unsere Beschreibungen der Welt zulässig. Es gibt keinen Methodenzwang, der in der Beschreibung der Welt alleine und ausschließlich den Anspruch auf Gültigkeit erheben kann: „anything goes" (Feyerabend 1986, S. 32).

Anders als physikalische Gesetze, die auf der Mesoebene unseres raumzeitlich und kategorial strukturieren Erfahrungsraumes nach klaren Kategorien, Strukturen und Gesetzen geordnet sind, weshalb wir sagen können, dass die Welt so ist, wie wir sie beschreiben, hängt die Gesetzmäßigkeit der Sozialwissenschaften von Glaubenssystemen ab, die ihren Widerhall nicht in der Natur, sondern in unseren sich selbst erfüllenden Beschreibungen der Lebenswelt finden. Getreu Voltaires Bonmot „Dass bei so mancher Beerdigung wahrlich die Ursache der Wirkung folgt", hängen in den Sozialwissenschaften unsere Wahrnehmungen der Welt ursächlich von den Erzählungen ab, mit der wir die Realität unserer sozialen Institutionen beschreiben. Hierbei prägen unsere Gedanken die Wirklichkeit und nicht die Wirklichkeit unsere Glaubenssysteme. Mit John Searle gesprochen, die Form und Gesetzmäßigkeit unserer sozialen Welt, d. i. der menschgemachten Institutionen und Glaubenssysteme, wird durch Deklarationen real. Deklarationen sind Erklärungen wie beispielsweise der Satz „Sie sind geadelt". Mit der getroffenen Aussage stellen sie allererst den Sachverhalt her, der durch die Erklärung festgestellt wird. „All of institutional reality, and therefore, in a sense, all of human civilization, is created by speech acts that have the same logical form as Declarations" (Searle 1969, S. 50 ff. und 175 ff., 1995, S. 59 ff., 2010, S. 12 f.). Diese Deklarationen spiegeln unsere kulturgeprägten Wünsche und Hoffnungen, mit denen wir uns in unserer Welt bewegen. Sie sind deshalb zutiefst wertegeprägt.

Glaubenssysteme
Ein schönes Beispiel für die wertegeprägte Interpretation der Wirklichkeit stammt aus den Anfängen der Anti-Atomkraftbewegung in den 1970er und 1980er-Jahren. Dort konnte man von einigen linksgerichteten Anti-Atomkraftgegnern Folgendes hören. Zur Rede gestellt, weshalb sie gegen deutsche, amerikanische und insgesamt westliche Atomkraftwerke seien, jedoch die Atomkraftprogramme der Sowjetunion von ihrer Kritik ausnähmen, antworteten sie: die sowjetischen Atomkraftwerke seien sicherer als die westlichen, weil ihre Schweißnähte besser seien. Dies wurde mit

folgender Argumentation untermauert: während im Westen die Arbeiter durch den Kapitalismus ausgebeutet würden und entfremdet lebten, seien die Arbeiter in der Sowjetunion nicht entfremdet tätig. Deshalb arbeiteten sie motivierter, besser, umsichtiger und qualitativ hochwertiger. Folglich seien auch die Schweißnähte besser und die Atomkraftwerken sicherer als im Westen. Denkt man diese absurde Logik weiter, wäre Tschernobyl die notwendige Folge der Öffnung der Sowjetunion durch Gorbatschow. Die Öffnung nach Westen hätte bei den Arbeitern zu einer zunehmenden Entfremdung geführt, was wiederum die Sorgfalt und Arbeitsmoral senkte, so dass Tschernobyl Ausdruck dafür ist, das das Sowjetsystem auf Druck des Kapitalismus geschwächt und dann in den 1990er-Jahren komplett zerfallen ist. Kurz: *Glauben und Fiktion schaffen Wirklichkeit.* Wie das Beispiel der Schweißnähte bei Atomkraftwerken sowie die umfangreiche Forschung zur schizophrenen Konstruktion der Wirklichkeit zeigen (Bateson et al. 1956; Watzlawick 1967, 1976), können tief verankerte Glaubenssysteme zu einer gespaltenen Wirklichkeitswahrnehmung führen. Hierbei wird ein für Außenstehende Gleiches, nämlich die Schweißnaht, von einem in seinem Glaubenssystem Stehenden als Verschiedenes wahrgenommen.

Was für die Weltwahrnehmung gilt, gilt umso mehr für die Selbstwahrnehmung. „Dass Identität ‚sozial konstruiert‘ sei, wird häufig als übergeschnappte Vorstellung linker Welt- und Menschenverbesserer angeschwärzt. Dabei bedeutet die Formel nichts Schwierigeres, als dass man zwar ohne Biologie und andere Naturvorgaben überhaupt keine Identität beanspruchen oder zuschreiben kann – Gene gehören zum Leben, was will man machen? –, dass damit aber noch lange nicht entschieden ist, wie man mit jenen Genen und dem anderen individuellen Gepäck umgeht. Nudeln sind auch ‚sozial konstruiert‘, sie wachsen nicht auf Bäumen: Aber ob aus dem Naturmaterial, das man für sie braucht, Spaghetti werden oder Farfalle, das wird in der Küche entschieden – wie das Familienrecht im Parlament" (Dath 2015, S. 13). Auf das Feld der Wirklichkeit übertragen heißt dies: soziale Tatsachen und die sie stützenden Glaubenssysteme werden durch Beschreibungen, Deklarationen und Erklärungen geschaffen. Diese beeinflussen nicht nur unsere Wahrnehmung der Wirklichkeit, sondern auch DIE Wirklichkeit selbst und damit die Weise, wie wir handeln. Kopernikus' Feststellung, dass sich die Sonne nicht um die Erde dreht, sondern umgekehrt, änderte nicht den Lauf der Planeten. Anders verhält es sich mit Deklarationen zur sozial geprägten Wirklichkeit, d. i. der Wirklichkeitsbeschreibung von Rechtssystemen, Glaubenssystemen oder auch dem System der Wirtschaft. Könnte ein Börsenguru mit 100 % Sicherheit den exakten Kurs einer Aktie vorhersagen, würde die Vorhersage – so sie denn öffentlich wird – genau den vorhergesagten Kurs ändern und damit die Vorhersage Lügen strafen. Denn alle anderen Marktteilnehmer würden auf die Vorhersage wetten, so dass sich der Kurs gerade aufgrund der getroffenen Vorhersage mit deutlich abweichendem Ausschlag verändern wird.

Für die Strategieentwicklung bedeutet das: ob ein Unternehmen Gewinnoptimierung anstrebt oder Ideale der Nachhaltigkeit verfolgt, resultiert aus individuellen Weltsichten und Werteentscheidungen. Diese sind nur mit Blick auf eine davor liegende, wertegeprägte Wirklichkeitsauffassung rationalisierbar. Es ist das zumeist unreflektierte Verständnis darüber, was der Zweck des Unternehmens sei. Die klassische Antwort der profitorientierten Logik der Ökonomie lautet, die Schöpfung von Erträgen zur Steigerung des Shareholder Values. Die der CSR-Adepten, eine verantwortungsorientierte Nutzenstiftung, die den Belangen der Triple Bottom Line ökonomischer, ökologischer und sozialer Verantwortung Rechnung trägt.

Der erste Grund für die Undurchsichtigkeit der Wirklichkeit liegt in der *Opazität der Zukunft*. Weil die Zukunft intransparent ist, können wir bei unseren strategischen Entscheidungen nicht wissen, wie sie sich verändern wird. Ausgedrückt im wahlweise Mark Twain, Karl Valentin, Niels Bohr oder Winston Churchill zugeschriebenen Bonmot, das Prognosen schwierig seien, besonders wenn sie die Zukunft beträfen (Plickert 2008), gründet dieses Nichtwissen in zwei Wesensmerkmalen unserer Erkenntnisfähigkeit. Das erste besteht darin, dass unser Selbst- und Weltverständnis und damit unsere Vorstellungen von Objektivität, Wahrheit und Gesetzmäßigkeiten immer schon perspektivisch sind. Unser Weltverständnis hängt von den Filtern ab, mit denen wir sie wahrnehmen.

Wenn die Wahrnehmung der Wirklichkeit von den Filtern abhängt, mit der wir sie beschreiben, stellt sich die Frage, was uns bei der Wahl dieser Filter und davon abgeleitet bei der Wahl von Mitteln, Wegen und Zielen leitet. Der Argumentation vorgreifend lautet die Antwort: Es sind Werteprägungen. Aus epistemischen und kognitionsbiologischen Gründen bleiben diese im Alltag zumeist unreflektiert, weil sie nur so ihre Funktion der Komplexionsreduktion ausüben können. Diese besteht darin, dass Werteprägungen menschliches Handeln effizient machen, indem sie uns in ihrer unreflektierten Gewissheit dazu anleiten zu sagen, „So handle ich eben" (Wittgenstein 1989, S. 350; PU 217).

Diese Effizienzgründe führen uns zum zweiten Wesensmerkmal der Opazität der Zukunft. Es ist dem Umstand geschuldet, dass wir aufgrund unseres kognitionsbiologischen Set-ups in unseren Wahrnehmungs- und Handlungsmustern auf Wiederholung programmiert sind. Denn nur dieses allen Lebewesen eingeschriebene Funktionsprinzip ermöglicht eine Komplexionsreduktion im Umgang mit der Umwelt. Alle Organismen sind deshalb so programmiert, dass sie unterstellen, dass das, was einmal eingetroffen ist bzw. dass das, was einmal erfolgreich war, immer wieder eintreffen wird bzw. immer wieder erfolgreich sein wird. In dieser Programmierung reagiert der Organismus als geschlossenes System auf seine Umwelt (Varela 1981). Nur so lassen sich beträchtliche Reaktionsschemata derart internalisieren und automatisieren, dass der Organismus vegetativ, d. h. ohne kognitive Verzögerung auf die Umwelt reagieren kann. Verändert sich die Umwelt in einer Weise, auf die das Programm des Organismus noch nicht eingestellt ist, auf das er jedoch reagieren kann, lernt er. Kann er dagegen nicht darauf reagieren, zerfällt er. D. h. selbst Darwins Prinzip von Selektion und Adaption folgt dem Schema der unterstellten Wiederholung. Wir tun uns deshalb schwer mit Prognosen insbesondere zu radikalen, d. h. unerwarteten, neuartigen, sprungfixen oder auch exponentiellen Umweltveränderungen.[1]

Der zweite Grund, weshalb klassische Ansätze[2] der Strategieentwicklung kein objektives Verfahren zur Absicherung unternehmerischer Zukunftsfähigkeit bieten,

---

[1] Zwei Übungen zeigen unsere Unfähigkeit im Umgang mit sprungfixen Veränderungen und exponentiellen Relationen. Beantworten Sie nach kurzem Überlegen folgende Aufgaben, indem Sie Ihre Antwort mit einer Zahl an den Rand schreiben:

Aufgabe 1) Wie hoch ist der Papierstapel, wenn Sie die Titelseite der Süddeutschen Zeitung 30 mal falten?

Aufgabe 2) Nach wie vielen Tagen ist der Seerosenteich bedeckt, wenn sich im Teich jede Seerose täglich einmal vermehrt und es hundert Tage gedauert hat, dass ein Viertel des Teichs bedeckt ist? [Die Lösungen finden Sie vor dem Literaturverzeichnis.]

Aus dem tiefgreifenden Verständnis, dass und warum wir mit sprungfixen und exponentiellen Veränderungen nicht umgehen können, zieht Nassim Taleb in der „Der Schwarze Schwan" seine Pointe (Taleb 2008). Wir blenden im Alltag zumeist jene Ereignisse aus, die in unserer Wahrnehmung eine gegen Null strebende Wahrscheinlichkeit aufweisen. Sowohl für Spekulationen als auch für Risikomanagement bietet dies ungeahnte Hebel, die über einen exponentiellen Erfolg oder den Untergang entscheiden. Strategisches Risikomanagement hat deshalb gerade für jene Ereignisse Vorsorge zu treffen, deren Wahrscheinlichkeit gegen Null strebt, deren Eintritt aber für ein Unternehmen letal sein würde.

[2] „Klassische" Strategieansätze entwickeln auf der Grundlage von Stärken-, Schwächen- und Umfeldanalysen ein segmentielles Portfolio, um in der Verknüpfung von risiko-, wachstums-, rentabilitäts-, wertschöpfungs-, kosten-, prozess- und innovationsorientierten Strategien sowie zusätzlicher Elemente, wie etwa Qualitäts-, TQM/EFQM-, Supply-Chain- oder, Make or Buy-Strategien das Unternehmen so auszurichten, dass die Einzelstrategien einander positiv verstärken (vgl. Müller-Stewens und Lechner 2003; Weissman 2006).

liegt in der *Opazität der Gegenwart*. Auch wenn die Wirtschaftswissenschaften in ihren Modellannahmen unterstellen, dass wir bei unseren Planungen über vollkommene Information und Transparenz der Sachlage verfügen, also im Sinn des homo oeconomicus jederzeit rational über die Wahl von Mitteln, Wegen und Zielen entscheiden können, gilt faktisch: als endliche Menschen verfügen wir nicht über den in der Theoriebildung unterstellten Gottesgesichtspunkt vollkommener Information. Wir treffen unsere Entscheidungen und insbesondere unsere Strategieentscheidungen vielmehr immer in Situationen unvollständiger Information, d. h. in einer Lebenswelt, die nicht im ceteris paribus Modus operiert. Hierbei verändert sich die Umwelt nicht nur permanent, schlimmer noch, sie gestaltet sich auch allzu oft deutlich anders, als wir sie uns in unseren kühnsten Strategien erträumt haben.

Die Gefahr, die Wirklichkeit in unseren Strategieannahmen zu verfehlen, ist tiefer begründet, als die von Herbert E. Simon (1957, 1993) eingeführte Vorstellung begrenzter Rationalität befürchten lässt. Denn aus kognitiver Sicht hilft angesichts der grundlegenden Opazität der Gegenwart auch das Postulat einer wenigstens „eingeschränkten Rationalität" nicht weiter, um für Unternehmen „wasserdichte" Erfolgsstrategien ableiten und gegen rivalisierende Alternativstrategien verteidigen zu können. Wie prominente Beispiele, etwa von Daimler-Benz oder jüngst der Deutschen Bank zeigen, sind selbst sorgfältig ausgearbeitete strategische Entscheidungen nicht vor dem Scheitern an der Wirklichkeit gefeit.[3]

Dass unser Wirklichkeitsverständnis prinzipiell perspektivisch ist, erklärt nicht nur, warum wir keine durchwegs geltenden Erfolgsstrategien entwickeln können, sondern führt auch zum dritten Grund, weshalb die Fiktion der Rationalität von Strategieentscheidungen zu hinterfragen ist. Er liegt in der *Opazität des Ursache-Wirkungsgeflechts in komplexen Systemen*. In komplexen Systemen können wir weder eindeutig festmachen, was die konkreten Ursache-Wirkzusammenhänge eines Ereignisses waren, noch die unterstellten Zusammenhänge gesetzmäßig herleiten oder gar vorhersagen. Folgen wir mit Edward N. Lorenz (1993) der ky-

---

[3] Edzard Reuthers in den 1980er-Jahren verfolgte Strategie der Ausweitung der Geschäftsfelder in den militärtechnischen Bereich scheiterte ebenso an der Wirklichkeit wie die Strategie von Jürgen Schrempp, nach dem Rückbau der Strategie seines Vorgängers Daimler-Benz zu einer Welt-AG auszubauen. Und folgt man der Analyse von Gerald Braunberger zur „Großbaustelle Deutsche Bank", dann verfehlten der Vorstand und Aufsichtsrat um Anshu Jain, Jürgen Fitschen und Paul Achleitner ihr Ziel, die Bank zu einer der führenden Universalbanken der Welt zu machen. „Der von Fitschen und Jain für die Deutsche Bank definierte Anspruch, zu den führenden Universalbanken der Welt aufzusteigen, wirkt angesichts der nackten Zahlen abgehoben: Der Börsenwert von JP Morgan Chase, einer unbestritten führenden Universalbank der Welt, beträgt rund 170 Mrd. €. Die Deutsche Bank kommt auf einen Börsenwert von 35 Mrd. €" (F.A.Z. vom 16.1.2015, S. 17).

bernetischen Einsicht, dass bei hochkomplexen Systemen mit starken und schwachen Wechselwirkungen der Flügelschlag eines Schmetterlings in Brasilien einen Tornado in Texas auslösen kann, dann müssen wir zugeben, dass wir in unseren Strategien mit Annahmen arbeiten, die einen Widerhall in der Realität finden können, nicht aber zwingend finden werden. Dies erklärt, warum auch viele wohlüberlegte und mit Konsequenz umgesetzte Strategiemaßnahmen scheitern. Sie scheitern, weil die Opazität des Ursache-Wirkungsgeflechts in komplexen Systemen dazu führt, dass selbst sorgfältigste Planungen allzu oft lediglich darauf hinauslaufen, dass der Zufall durch einen Irrtum ersetzt wird.

Die Nichtberechenbarkeit von Ursache und Wirkung lässt sich auf der Ebene der Strategieentwicklung selbst verdeutlichen. Gäbe es einen Algorithmus für unternehmerischen Erfolg – also eine logisch zwingende Regelhaftigkeit zwischen strategischen Annahmen, unternehmerischen Aktivitäten und ökonomischen Ergebnissen – wir würden wohl alle kybernetische Mathematik studieren. Wie aber große Erfolgsunternehmer wie Steve Jobs, Henry Ford, Walt Disney, Bill Gates, die Gebrüder Albrecht, Max Grundig, Erich Sixt, Hasso Plattner, Peter Dussmann, Adolf Würth oder Götz Werner zeigen, lassen sich weder deren Persönlichkeiten noch deren Erfolge kopieren. Jeder von ihnen ist einzigartig, d. h. ein Solitär und „one of a kind". Selbst wenn wir mit Jim Collins (2001) und Hermann Simon (1998, 2007) die Strategien ihrer Unternehmen im Reigen anderer Hidden Champions und Masters of Excellence betrachteten und Schlüsse zögen, welche Gemeinsamkeiten ihren Erfolg geprägt hat[4], müssen wir angesichts der unternehmerischen Wirklichkeit feststellen: nicht jeder, der beispielsweise Hamels Mantra der Regelbrüche folgt (Hamel 2000) und Märkte oder Produkte neu definiert, ist erfolgreich. *Es gibt keine Regelhaftigkeit für Erfolg, nur Regelhaftigkeiten, die den Misserfolg wahrscheinlich machen.*

Dies zeigt allein schon das Gründergeschehen. Geht ein angehender Gastronom mit seinem Business Plan zu seiner Hausbank, um einen Gründungskredit zu beantragen, erhält er in der Regel eine Absage. Die Begründung der Bank erfolgt mit dem Hinweis auf einschlägige Branchenanalysen, in denen vier von fünf Neugründungen die ersten Geschäftsjahre nicht überstehen. Für die Strategieentwicklung bedeutet dies: Der Verweis auf die Erfolgsstrategien herausragender „Leuchttürme" der Wirtschaft lebt aus der *asymmetrischen Heroisierung nicht vorhersehbarer Einzelereignisse*, d. i. der den Ereignissen nachfolgenden Mythenbildung. Sie

---

[4] Beide beschreiben einen Katalog aus geteilten Eigenschaften, Einstellungen, Kompetenzen und Herangehensweisen, die in den Augen der Autoren für den Erfolg der Unternehmen verantwortlich sind und der, werden sie von anderen Unternehmern ‚kopiert' und auf das eigene Unternehmen übertragen, zu ihrem Erfolg führen soll.

scheint in ihrer Heldenverehrung logisch zwingend. Fakt aber ist, dass sich keiner der namenlosen Toten einer Schlacht erinnert, aber sehr wohl des „Helden", der oft nur deshalb überlebte, weil die ihm geltende Kugel aus unerklärlichen Gründen einen Weggefährten traf.

Auf das Feld der Strategieentwicklung übertragen heißt dies: *Hinter fast jedem Scheitern von Unternehmen steht weniger das Fehlen einer Strategie als eine fehlgeleitete Strategie, d. h. fehlgeleitete Ziele, Wege und daraus abgeleitete Annahmen, Verfahren und Entscheidungen.* Die Wirklichkeit verhält sich anders, als wir zu wissen glaubten. Unsere Modelle von der Welt verhalten sich zuweilen ausgesprochen unerzogen und unerwartet schlecht (Derman 2011).

Wenn wir begreifen, dass die unternehmerische Strategieentwicklung nicht von einem objektiven und rational begründbaren Wirklichkeitsverständnis abgeleitet werden kann, stellt sich die Frage, was unternehmerische Strategieentwicklung an Stelle dessen leitet. Die im Weiteren zu erläuternde Antwort lautet:

► These 1: Strategieentscheidungen werden von Werten geleitet, die hinter und außerhalb der strategischen Entscheidungsfindung liegen.

Werden diese Werte im Entscheidungsprozess nicht aktiv hinterfragt und reflektiert, bleibt der Entscheidungsprozess irrational, d. h. sowohl den eigenen Entscheidungsgründen als auch der wahrgenommenen Umwelt gegenüber blind. Dies führt uns zur zweiten These:

► These 2: Sowohl die ökonomische Logik mit ihrem Primat der uneingeschränkten Profitorientierung als auch die CSR-Logik mit ihren Triple Bottom Line Appellen an unternehmerische Verantwortung verkennen die irrationale Wertegebundenheit unternehmerischer Entscheidungen.

Diese zeigt sich nicht nur auf der makroökonomischen Ebene der Blasenbildung von Märkten, d. i. dem Umstand, dass gier- und profitgetriebene Schwarmintelligenz allzu oft in Schwarmdummheit umschlägt, mit entsprechenden Konsequenzen für einzelne Unternehmen und sogar ganze Branchen, Märkte und Staaten[5], sondern mehr noch an den tagtäglich in Unternehmen getroffenen Managemententscheidungen. Mit Mintzberg gesprochen ist es „Folklore", dass Manager und

---

[5] Die in der Subprime-Krise von 2007/2008 geplatzte Spekulationsblase auf dem amerikanischen Immobilienmarkt ist das jüngste Beispiel dafür, wie Schwarmdummheit nicht nur Banken, sondern ganze Märkte und Staaten in die Krise stürzen kann.

Unternehmer reflektierte und systematisch handelnde Planer sind. Im Gegenteil, Manager und mehr noch Unternehmer zeigen sich, geblendet von den eigenen Weltsichten, allzu häufig reflexionsresistent. Gepaart mit einer starken Fokussierung auf unternehmerisches Handeln ist ihr Verhalten deshalb oft kurzsichtig, wenig stringent, unreflektiert und bruchstückhaft.[6] Aus diesem Sachverhalt folgt für die Praxis der Strategieentwicklung und Unternehmensführung zweierlei: erstens verfahren wir in unseren Entscheidungspraxen weitaus weniger rational, als wir uns in unseren Selbstzuschreibungen glauben machen. Zweitens verdeutlicht er erneut die Rolle von Werten in der Unternehmensführung, wie sie von Kotter (1995), Aiken und Keller (2009), Keller und Aiken (2009) und Mintzberg (1990) aufgeworfen wird. Eine mittelmäßige Strategie, konsequent und transparent umgesetzt, wird immer erfolgreicher sein als eine herausragende Strategie, die nur mittelmäßig umgesetzt wird. Nicht nur in der Wahl der Mittel, Ziele und Wege, sondern auch in der Umsetzung des eingeschlagenen Weges sind es deshalb die im Unternehmen wirkenden Werte, d. h. der Mensch, der am Ende maßgeblich darüber entscheidet, ob eine Strategie erfolgreich ist oder nicht.

Die grundlegenden Treiber menschlichen und unternehmerischen Handelns sind wertegetrieben. Deshalb müssen wir das Thema Strategieentwicklung aus der Dynamik der in sozialen Systemen wirkenden Werte heraus rekonstruieren. Da ich diese Dynamik bereits ausführlich herausgearbeitet habe (Glauner 2013, 2015), soll hier lediglich beschrieben werden, wie die in sozialen Systemen wirkenden Werte für zukunftsfähige Unternehmensstrategien genutzt werden können. Hierzu ist es notwendig, das Konzept einer werteorientierten Strategieentwicklung einzuordnen und gegen die heute gängigen Ansätze abzugrenzen. Diese Abgrenzung erfolgt erstens durch die Rekonstruktion der ökonomischen Logik der Strategieentwicklung (Kap. 3), zweitens durch die Rekonstruktion der CSR-Logik der Strategieentwicklung (Kap. 4) sowie drittens durch die Darstellung der Logik der Werte in sozialen Systemen (Kap. 5). In Kap. 6 werden dann die Logik und Treiber einer Wertestrategie dargestellt, die den Weg zu den Wettbewerbsvorteilen von morgen weisen.

---

[6] „Folklore: The manager is a reflective systematic planner. ... Fact: Study after study has shown that managers work at an unrelenting pace, that their activities are characterized by brevity, variety, and discontinuity, and that they are strongly oriented to action and dislike reflective activities" (Mintzberg 1990, S. 72).

Werte und Wertedynamiken in sozialen Systemen: Definitionen

Alle Menschen sowie alle sozialen Systeme, in denen ein Mensch steht, also Familien, Peer-Groups, Unternehmen, Institutionen, Kommunen, (Religions-)Gemeinschaften und Gesellschaften, leben aus einem dynamischen Geflecht sich ständig verändernder Wertebindungen (Joas 1996, 1999). Zum Verständnis dieser Wertedynamik müssen wir die Wertebindungen des Individuums von den Wertedynamiken der sozialen Systeme unterscheiden, in denen es steht. Hierbei helfen folgende Definitionen:

Werte als ethische Werte: In landläufiger Überzeugung stehen Werte für das Gute und Anstrebenswerte. Als Tugenden lenken sie menschliches Handeln zum Besseren hin. Sie sind deshalb die emotionale, psychologische, soziale und moralische Währung für gelungenes Leben und Handeln. Entsprechend dieser engen ethisch ausgerichteten Definition sind Werte das, was gelungenes menschliches Miteinander ermöglicht. Hierzu zählen Vorstellungen wie Gerechtigkeit, Wahrhaftigkeit, Barmherzigkeit, Mitmenschlichkeit, Klugheit, Tapferkeit, Weisheit. Die Untugenden wie Gier, Geiz, Eitelkeit, Neid, Missgunst sind dagegen keine Werte, da sie das menschliche Sein nicht erheben.

Werte als Treiber menschlichen Handelns: Von der ethisch-moralischen und daher immer schon wertenden Wertedefinition ist eine wertneutrale, Wertedefinition abzugrenzen. In ihr sind Werte funktional-systemische Treiber für menschliche Handlungen. Diese gliedern sich auf in Werte, Bedürfnissen, Interessen, Motive und Erwartungen. Sie entspringen existenziellen Weltsichten und übergeordneten Sinnsystemen. Dabei wirken sie auf allen Ebenen des Menschseins (Glauner 2013, S. 24). *Im Weiteren wird, wenn nicht anders hervorgehoben, ausschließlich dieser funktional-systemische Wertbegriff verwendet und dort, wo von ethischen Werten die Rede ist, dieses gesondert gekennzeichnet.*

Werte sind die weltbildstiftenden Treiber menschlicher Handlungen. Es sind positiv aufgeladene Vorstellungen, die einzelmenschliches Streben leiten. Als psychologische Währung der Emotionen prägen sie die grundlegenden Überzeugungen des Menschen, was für ihn wichtig ist und was nicht. In der individuellen Erfahrung repräsentieren die eigenen Werte das Gute und Anstrebenswerte. Das Streben nach Gerechtigkeit oder Reichtum oder das nach Macht oder Gleichberechtigung liegen so funktional-systemisch gesehen auf der gleichen Ebene.

Bedürfnisse sind situativ ausgeprägte Handlungswerte. Sie sind die variablen und sich permanent ändernden Treiber für menschliches Handeln.

Gemäß Abraham H. Maslow (1954) gliedern sich menschliche Bedürfnisse in fünf Ebenen: in physiologische Bedürfnisse, Sicherheitsbedürfnisse, soziale Bedürfnisse, Geltungsbedürfnisse sowie auf oberster Ebene in Selbstverwirklichungsbedürfnisse.

Interessen sind fähigkeitsorientierte und fähigkeitsschöpfende Handlungswerte. Sie richten menschliche Handlungsketten langfristig auf großräumige Handlungsfelder und spezifische Handlungsräume hin aus. Interessen sind komplexe, lernorientierte und ressourcenschöpfende Handlungstreiber. Gemäß umfangreichen Studien von Gallup gründet die Ausbildung von Interessen in 34 Talent-Leitmotiven. Als interessenprägende Werte wirken die individuellen Talent-Leitmotive als Treiber zur Entwicklung persönlicher Fähigkeiten. (Buckingham und Clifton 2001).

Motive sind handlungsbegründende Handlungswerte. Es sind emotional besetzte Ziele, die uns antreiben. Sie sind die überdauernden individuellen Gründe, mit denen wir Handlungen erklären und als solche Ausdruck individueller Werte, die Anreiz zu persönlichem Handeln oder Unterlassen geben. Nach David C. McCleeland 1987 prägen drei Grundmotive menschliches Handeln: das Streben nach Leistung, nach Macht, nach Verbundenheit sowie das Streben nach Vermeidung unliebsamer Situationen. Innerhalb dieser Grundmotive fächert sich unser Handeln in unterschiedlichste Motivklassen auf, die durch vielfach validierte Typologien persönlicher Handlungsdispositionen bestimmt werden können (Reiss 2008).

Erwartungen sind selbstbildstiftende Handlungswerte. Es sind persönliche Überzeugungen, wie sich andere und die Welt zu mir verhalten und ich mich zu ihnen verhalten soll. Erwartungen sind entweder Fremdzuschreibungen, d. h. Unterstellungen, die ich gegenüber einem Anderen oder der Welt mache (beispielsweise, dass jemand mir gegenüber wohlgesonnen oder missgünstig ist) oder in der Perspektive einer unterstellten Fremdzuschreibung formulierte Selbstzuschreibungen von Rollen. Sie haben die Form „A ist mir gegenüber X" (Fremdzuschreibung) oder „Aus Sicht von A bin ich X" (als Fremdzuschreibung formulierte Selbstzuschreibung). In ihrem auf mich gerichteten Selbstbezug prägen Erwartungen unsere persönlichen Handlungsstrategien.

Sinnsysteme sind selbst- und welterklärende Glaubensmodelle. Aus Sicht des Einzelnen repräsentieren sie den geistigen Ordnungsrahmen, aus dem heraus jeder Einzelne lebt (Frankl 1959; Peseschkian 1983; Glauner 2013). Sinnsysteme beantworten die Frage nach dem übergeordneten Grund, der Aufgabe und dem Zweck des eigenen Lebens. Inhaltlich werden Sinnsysteme durch die soziokulturellen Überzeugungen der Religion, der Kultur, der Profession (Beruf), der Klasse, Familie, Peergroup... geprägt, also allen sozialen Systemen, in denen sich ein Individuum bewegt. *Weltsichten der Existenz sind persönliche Wahrnehmungsfilter, die das vitale Welt- und Selbstverständnis prägen.* Sie legen aus Sicht des Einzelnen fest, wie die Welt beschaffen ist und welche Rolle der Mensch in der Welt spielt (Graves 2005). *Menschliche Wertebindungen sind das Zusammenspiel aller inneren und äußeren Werte, die unser Denken und Handeln prägen.* Von außen werden menschliche Wertebindungen durch den kulturellen Raum (Sprache, Kultur, Religion) sowie die sozialen Systeme (Familie, Peer-Group, Unternehmen, Partei, Vereine ...) bestimmt. Von innen werden menschliche Wertebindungen geformt durch persönliche Bedürfnisse, Interessen, Motive, Erwartungen, individuelle Sinnsysteme und existentiale Weltsichten. Das Schnittfeld der individuellen Wertebindungen bildet die menschliche Identität

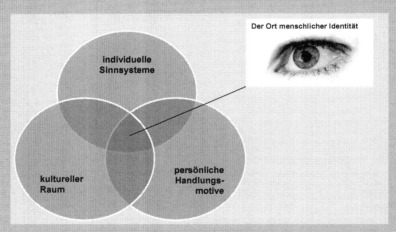

Das Schnittfeld menschlicher Wertebindungen

Je stärker das Schnittfeld menschlicher Wertebindungen konvergiert, desto stärker identifiziert sich ein Mensch mit seiner Umwelt und desto motivierter und kongruenter ist er in seinen Handlungen.

Soziale Systeme: In der *kybernetischen Definition* sind soziale Systeme lebende Systeme höherer Ordnung. Sie werden durch Werte (Präferenzen) getragen, die sowohl das Wirklichkeitsverständnis des Systems als auch den

Umgang der Elemente im System regeln. In der *soziologischen Definition* sind soziale Systeme alle Formen einer Gemeinschaft von Menschen, in der Individuen miteinander in formellen oder informellen Beziehungen stehen. Peergroups, Unternehmen, Organisationen, Gemeinden, Familien sowie alle sonstigen Gemeinschaften, also auch Handels-, Tausch- oder Konfliktsysteme, sind soziale Systeme. Sie werden „gebildet von Zuständen und Prozessen sozialer Interaktion zwischen handelnden Einheiten" (Parsons 1971, S. 15).

Wertedynamik: Alle sozialen Systeme, d. h. der einzelne Mensch sowie das Zusammenwirken in den sozialen Systemen, die sie bilden, werden von einer gegenläufigen Wertedynamik getragen. Sie entsteht aus der psychologischen und der systemischen Rückkopplungsschleife von Werten (Glauner 2013, S. 37 ff., 2015, S. 243 ff.). In psychologischer Sicht bestimmen Werte das Verhalten von Menschen, menschliches Verhalten bildet soziale Systeme, soziale Systeme prägen Werte, diese lenken und verstärken das Verhalten von Menschen: Werte prägen Menschen, Menschen prägen soziale Systeme, soziale Systeme prägen Werte. In systemischer Sicht wirken Werte in gegenläufiger Richtung. Menschen transformieren durch den Eintrag ihrer persönlichen Werte (Bestrebungen und Ziele) die sozialen Systeme, in denen sie stehen und auf die sie wiederum reagieren: Menschen prägen Werte, Werte prägen soziale Systeme, soziale Systeme prägen Menschen.

Für den Strategieprozess bedeutet dies, er muss auf drei Dilemmata der Unternehmenswerte, die aus der gegenläufigen Wertedynamik in Unternehmen entstehen, Antworten finden (Glauner 2013, S. 39, 2015, S. 244):

1. Das *Dilemma der Selbstbezüglichkeit* von Werten: Welche Werte sollen im Unternehmen leitend sein? Wer entscheidet darüber und wie wird darüber entschieden?

2. Das *Dilemma der Dominanz* von Akteuren in sozialen Systemen: Welche Menschen erhalten die legitime Kraft, das Unternehmen und seine Werte zu gestalten? Wer entscheidet darüber und wie wird darüber entschieden?

3. Das *Dilemma der systemischen Blindheit*: Wie wird das ethische Problem der Blindheit von Unternehmen gegenüber ihren im Unternehmen gelebten Werten gelöst? Was gewährleistet, dass die angestrebten Unternehmenswerte langfristig im Unternehmen verankert bleiben und die Dialektik der Gegenläufigkeit menschlicher und systemischer Werterückkopplungen in einen nachhaltig tragfähigen Werterahmen überführt wird?

Lösungen der Aufgaben aus Fußnote 7:
   Aufgabe 1) 107,4 Kilometer
   Aufgabe 2) zwei Tage

Literatur

Abel G (1993) Interpretationswelten. Gegenwartsphilosophie jenseits von Essentialismus und Relativismus. Suhrkamp, Frankfurt a. M.

Aiken C, Keller S (2009) The irrational side of change management. McKinsey Q 2:100–109. http://www.mckinsey.com/insights/organization/the_irrational_side_of_change_management

Bateson G (1979) Mind and nature. A necessary unity. Dutton, New York

Bateson G, Jackson DD, Haley J, Weakland JW (1956) Towards a theory of schizophrenia. Behav Sci 1(4):251–246 (deutsch: Auf dem Wege zu einer Schizophrenie-Theorie. In: Habermas Von J, Henrich D, Luhmann N (Hrsg) Schizophrenie und Familie. Suhrkamp, Frankfurt a. M., S 11–43)

Buckingham M, Donald OC (2001) Now. Discover your strenghts. Free Press, New York. Deutsche Fassung: Entdecken Sie Ihre Stärken jetzt. Das Gallup-Prinzip für individuelle Entwicklung und erfolgreiche Führung. Campus, Frankfurt a. M. 2002 (3. Aufl., 2007)

Collins J (2001) Good to great. Why some companies make the leap… and others don't. HarperCollins, New York

Dath D (2015, Juni 20) Das Einzeltätervolk und seine Taten. Frankfurter Allgemeine Zeitung S 13

Davidson D (1974) On the very idea of a conceptual scheme. In: Davidson D (Hrsg) Truth & interpretation. Clarendong, Oxford, S 183–198 (1986, 3. Aufl.)

Derman E (2011) Models behaving badly. Why confusing illusion with realtiy can lead to disaster, on wall street and in life. Free Press, New York

Duheme P (1908) Ziel und Struktur der Physikalischen Theorien. Meiner, Hamburg (1978)

Feyerabend P (1986) Wider den Methodenzwang. Suhrkamp, Frankfurt a. M.

Foerster H von (1972) Bemerkungen zu einer Epistemologie des Lebendigen. In: Foerster H von (Hrsg) (1993) Wissen und Gewissen. Versuch einer Brücke. Suhrkamp, Frankfurt a. M., S 116–133 (8. Aufl., 2011)

Foerster H von (1987) Kybernetik. In: Foerster H von (1993) Wissen und Gewissen. Versuch einer Brücke. Suhrkamp, Frankfurt a. M., S 72–76 (8. Aufl., 2011)

Frankl VE (1959) Man's search for meaning, 34. Aufl. Pocket Books, New York (1985)

Glasersfeld E von (1995) Radikaler Konstruktivismus. Ideen, Ergebnisse, Probleme. Suhrkamp, Frankfurt a. M. (7. Aufl., 2011)

Glauner F (1990) Kants Bestimmung der Grenzen der Vernunft. Janus, Köln

Glauner F (1997) Sprache und Weltbezug. Alber, Freiburg (2. Aufl., 1998)

Glauner F (2013) CSR und Wertecockpits. Mess- und Steuerungssysteme der Unternehmenskultur. Springer, Berlin

Glauner F (2015) Dilemmata der Unternehmensethik – von der Unternehmensethik zur Unternehmenskultur. In: Schneider A, Schmidpeter R (Hrsg) Corporate Social Responsibility, 2. erw Aufl. Springer, Berlin S 237–251

Goodman N (1978) Ways of worldmaking. Hackett, Indianapolis (4. Aufl., 1985)

Gosepath S (1992) Aufgeklärtes Eigeninteresse. Eine Theorie theoretischer und praktischer Rationalität. Suhrkamp, Frankfurt a. M.

Graves CW (2005) In: Cowan CC, Todorovic N (Hrsg) The never ending quest. A treatise on an emergent cyclical conception of adult behavioral systems and their development. Eclect, Santa Barbara

Graves CW (2005) The never ending quest. A treatise on an emergent cyclical conception of adult behavioral systems and their development. Edited and compiled by Christopher C. Cowan and Natasha Todorovic. (Eclect) Santa Barbara, California

Hamel G (2000) Das revolutionäre Unternehmen. Wer Regeln bricht: Gewinnt. Econ, München

Hamel G, Prahalad CK (1990) The core competence of the corporation. (Harvard Business Review May–June 1990) Wiederabdruck in: Breakthrough ideas. 15 articles that define business practice today. Harvard Business School Publishing, Cambridge, S 1–12 (2000)

Hamel G, Prahalad CK (1995) Wettlauf um die Zukunft. Wie Sie mit bahnbrechenden Strategien die Kontrolle über Ihre Branche gewinnen und die Märkte von morgen schaffen. Carl Ueberreuther Wien, (2. Aufl., 1997)

Heidegger M (1927) Sein und Zeit. Niemeyer, Tübingen (15. Aufl., 1984)

Joas H (1996) Die Kreativität des Handelns. Suhrkamp, Frankfurt a. M., (4. Aufl., 2012)

Joas H (1999) Die Entstehung der Werte. Suhrkamp Frankfurt a. M. (5. Aufl., 2009)

Keller S, Aiken C (2009) The inconvenient truth about change management. Why it istn't working and what to do about it. McKinsey & Company, New York. http://www.aascu.org/corporatepartnership/McKinseyReport2.pdf

Kotter JP (1995) Leading change. Why transformation processes fail. Harv Bus Rev 73(2):59–67

Kuhn TS (1962) Die Struktur wissenschaftlicher Revolutionen. Suhrkamp, Frankfurt a. M. (8. Aufl., 1986)

Lorenz EW (1993) Predictability: does the flap of a butterfly's wings in Brazil set off a tornado in Texas? In: Lorenz EW (Hrsg) The essence of chaos. University of Washington Press, Seattle. Appendix 1, S 181–184

Maslow AH (1954) Motivation and personality. Harper and Row, New York (Deutsche Fassung Motivation und Persönlichkeit. Rowohlt, Reinbeck bei Hamburg 1981, 12. Aufl., 2010)

Maturana HR (1970) Biologie der Kognition. In: Maturana H (Hrsg) Erkennen: Die Organisation und Verkörperung von Wirklichkeit. Vieweg, Braunschweig, S 32–80 (1982)

Maturana HR (1978) Kognition. In: Schmidt SJ (Hrsg) Der Diskurs des radikalen Konstruktivismus. Suhrkamp, Frankfurt a. M., S 89–118 (1987, 2. Aufl., 1988)

Maturana, HR, Varela FJ (1975) Autopoietische Systeme: eine Bestimmung der lebendigen Organisation. In: Maturana H (Hrsg) Erkennen: Die Organisation und Verkörperung von Wirklichkeit. Vieweg, Braunschweig, S 170–235 (1982)

Mintzberg H (1990) The manager's job: folklore and fact. (Harvard Business Review) in: Breakthrough ideas. 15 articles that define business practice today. Harvard Business School Publishing, Boston, S 71–84 (2000)

Müller-Stewens G, Lechner C (2003) Strategisches Management. Wie strategische Initiativen zum Wandel führen. Der St. Galler General Management Navigator, 2. erw. Aufl. Stuttgart

Parsons T (1971) The system of modern societies. Prentice Hall, Englewood Cliffs (Deutsche Fassung: Das System moderner Gesellschaften. Juventa, Weinheim, 5. Aufl., 2000)

Peseschkian N (1983) Auf der Suche nach Sinn. Psychotherapie der kleinen Schritte. Fischer, Frankfurt a. M. (13. Aufl., 2006)

Plickert P (2008, Juli 24) Konjunkturprognosen „Es gibt auch unter Ökonomen einen Herdentrieb". Frankfurter Allgemeine Zeitung. http://www.faz.net/aktuell/wirtschaft/konjunktur/konjunkturprognosen-es-gibt-auch-unter-oekonomen-einen-herdentrieb-1664326.html

Popper KR (1935) Die Logik der Forschung. J.C.B. Mohr, Paul Siebeck, Tübingen (8. Aufl., 1984)

Porter ME (1985) Competitive advantage. Creating and sustaining superior performance, 14. Aufl. Free Press, New York

Porter ME (1996) What is strategy? (Harvard Business Review, November–December 1996) Wiederabdruck in: Breakthrough ideas. 15 articles that define business practice today. Harvard Business School Publishing, Cambridge, S 13–30 (2000)

Quine WO (1960): Word and object. The M.I.T. Press, Cambridge

Quine WO (1969) Ontological relativity and other essays. Columbia University Press, New York

Reiss S (2008) The normal personality. Cambridge University Press, Cambridge. (Deutsche Fassung: Das Reiss Profile. Die 16 Lebensmotive. Welche Werte und Bedürfnosse unserem Verhalten zugrunde liegen. Gabal, Offenbach, 2. Aufl., 2010)

Searle JR (1969) Speech acts. An essay in the philosophy of language. Cambridge University Press, London (11. Aufl., 1984)

Searle JR (1995) The construction of social reality. The Free Press, New York

Searle JR (2010) Making the social reality. The structure of human civilization. Oxford University Press, Oxford

Simon HA (1957) (Hrsg) Models of man, social and rational: mathematical essays on rational human behavior in a social setting. Wiley, New York

Simon HA (1993) Homo rationalis. Die Vernunft im menschlichen Leben. Campus, Frankfurt a. M.

Simon H (1998) Die heimlichen Gewinner (Hidden Champions): Die Erfolgsstrategie unbekannter Weltmarktführer, 5. Aufl. Campus, Frankfurt a. M.

Simon H (2007) Hidden Champions des 21. Jahrhunderts: Die Erfolgsstrategien unbekannter Weltmarktführer. Campus, Frankfurt a. M.

Taleb NN (2008) Der Schwarze Schwan. Die Macht höchst unwahrscheinlicher Ereignisse. Hanser, München

Varela FJ (1981) Autonomie und Autopoiese. In: Schmidt SJ (Hrsg) Der Diskurs des radikalen Konstruktivismus. Suhrkamp, Frankfurt a. M., S 119–132 (1987, 2. Aufl., 1988)

Watzlawick P (1967) Menschliche Kommunikation. Formen, Störungen Paradoxien. Huber, Bern (12. Aufl., 2011) (Pragmatics of human communication: a study of interractional paztterns, pathologies, and paradoxes. Norton, New York)

Watzlawick P (1976) Wie wirklich ist die Wirklichkeit. Wahn – Täuschung – Verstehen. Piper, München (21. Aufl.,1993)

Watzlawick P (1988) Münchhausens Zopf oder Psychotherapie und „Wirklichkeit": Aufsätze und Vorträge über menschliche Probleme in systemisch-konstruktivistischer Sicht. Huber, Bern

Weber M (1904) Die „Objektivität" sozialwissenschaftlicher und sozialpolitischer Erkenntnis. In: Weber M (Hrsg) Gesammelte Aufsätze zur Wissenschaftslehre. J.C.B. Mohr – UTB Paul Siebeck, Tübingen, S 146–214 (6. Aufl., 1985)

Weber M (1918) Der Sinn der „Wertfreiheit" der soziologischen und ökonomischen Wissenschaften. In: Weber M (Hrsg) Gesammelte Aufsätze zur Wissenschaftslehre. J.C.B. Mohr – UTB Paul Siebeck, Tübingen, S 489–540 (6. Aufl., 1985)

Weissman A (2006) Die grossen Strategien für den Mittelstand. Die erfolgreichsten Unternehmer verraten ihre Rezepte. Campus, Frankfurt a. M. (2. aktualisierte Aufl. 2011)

Wittgenstein L (1989) Werkausgabe Bd. 1. Tractatus logico-philosophicus. Philosophische Untersuchungen. Suhrkamp, Frankfurt a. M.

Die ökonomische Logik der Strategieentwicklung: Ertrag

3

Laut der Betriebswirtschaftslehre ist es die *Logik des Ertrags,* die die Strategieentwicklung leitet. Ihr gemäß ist Ertragsschöpfung das oberste Ziel der Unternehmung. Ertrag dient dabei zweierlei. Erstens verhindern gesunde Erträge das zwangsweise Ausscheiden aus dem Markt, etwa durch Insolvenz. Zweitens bedienen Erträge die Interessen der Shareholder. Sie verzinsen das von Eigentümern und Kapitalgebern eingebrachte Kapital und sorgen so dafür, dass diese das Unternehmen weiter finanzieren und nicht mangels ausbleibender Renditen aufgeben. In dieser Ertragsfixierung wird die Steigerung des Shareholdervalues zum obersten Ziel der strategischen Entscheidungen (Rappaport 1986, sowie in jüngster Version Goedhart et al. 2015). Das hat Konsequenzen für das Strategieverständnis im Allgemeinen sowie das unternehmensspezifische Strategieportfolio im Besonderen.

Aus dem obersten Ziel der Ertragsschöpfung leitet sich das Strategieportfolio ab. Folgt man dem Weissmanschen Modell der Ertragstreiber in Unternehmen (Weissman 2006, S. 126), orientieren sich Unternehmen an den funktionalen Faktoren der Ertragssicherung: Erträge werden durch Wettbewerbsvorteile gesichert, Wettbewerbsvorteile durch Kernkompetenzen.

Betrachtet man dieses funktionale Modell des Strategieportfolios aus einer übergeordneten Warte, zeigt sich, dass die meisten strategischen Entscheidungen, beispielsweise solche zu Rendite-, Wachstums-, Risiko-, Diversifikations-, Produktions- oder Innovationszielen, selbstbezogene Entscheidungsgrößen sind. Lediglich der Bereich der Wettbewerbsvorteile, also Entscheidungen zu Produkten, Dienstleistungen und zur Marke, sind im Kern außenorientiert (vgl. Abb. 3.1).

► These 3: Die ökonomische Logik der Strategieentwicklung ist selbstbezogen. Sie folgt der Logik des Ertrags.

© Springer-Verlag Berlin Heidelberg 2016
F. Glauner, *Zukunftsfähige Geschäftsmodelle und Werte,*
DOI 10.1007/978-3-662-49242-0_3

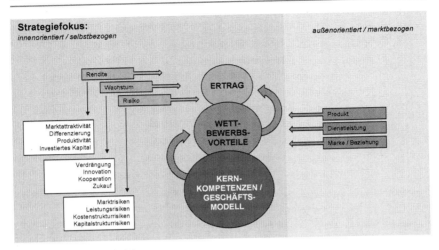

Abb. 3.1 Der Strategiefokus

Aus der selbstbezogenen Ertragslogik der Betriebswirtschaft folgt das zentrale Credo der Wirtschaftswissenschaften. Es lautet: *„Wettbewerb"*. Die Ratio des Wettbewerbs lebt aus einer instrumentellen Interpretation der Wirklichkeit. Die Welt wird daraufhin abgetastet, wie im Kampf „aller gegen alle" die eigenen Ziele erreicht werden können. Selbst Kooperations-, Win-Win- und Netzwerkstrategien stehen in dieser Strategieperspektive häufig im Licht eines persönlichen Vorteils. Dieser wird nur dort abgemildert, wo der Umgang zwischen Geschäftspartnern auf einer geteilten Wertebasis gründet, die den Werten der Achtung, Fairness, Transparenz, Kooperation und Gegenseitigkeit verpflichtet ist. Wo dies nicht der Fall ist, führt das die Geschäftsbeziehung prägende Misstrauen zu Strategien und einem Verhalten, das analog zur Principal-Agent-Problematik[1] eine Perspektive der egozentrierten Vorteilsnahme einnimmt.Das Vorbild der Strategieentwicklung ist deshalb allzu oft die „Kunst der Kriegsführung", die auf die Unternehmensführung übertragen wird.[2]

---

[1] Das Principal-Agent Problem besteht darin, mit Blick auf das subjektive Risiko eines Auftraggebers (Principal), dass ein Auftragnehmer (Agent) die vereinbarten Leistung nicht erbringt oder nicht erbringen will, sicherzustellen, dass der Auftragnehmer (Agent) sich vertragskonform verhält (Holmstrom 1979; Grossman und Hart 1983).

[2] Exemplarisch ist für diese Übertragung die von Boston Consulting herausgegebene Textsammlung von Clausewitz (2001), aber auch Management-Bestseller wie Robert Greenes Buch „Power" (Greene 2001), welches die Lehren der großen Meister der politischen und militärischen Strategieentwicklung für den Alltagsgebrauch erschließt.

In der Logik des Krieges ist Wettbewerb oft ein Nullsummenspiel. Einer gewinnt das, was der Andere verliert. Gewinnen setzt in dieser Logik Verlierer voraus. Das zeigt das Herzstück der Spieltheorie, d. i. die Lösung des Gefangenendilemmas (Tucker 1950). Im ökonomischen Verständnis der Unternehmensführung gehört sie zum Basiskanon gelungener Strategieentwicklung. Individueller Erfolg geht im Gefangenendilemma immer zu Lasten des Anderen. Bei einseitig unkooperativem Verhalten stellt man sich auf Kosten des Anderen besser. Bei beidseitig unkooperativem Verhalten verlieren beide gleich überproportional. Selbst beidseitig kooperatives Verhalten führt nicht zu gemeinsamem Gewinn, sondern lediglich zu einer beidseitigen Minimierung des Verlusts. Strategisch rational ist deshalb immer ein Verhalten, das einseitig unkooperatives Verhalten ermöglicht, indem das Verhalten des Gegenübers zum ausschließlich eigenen Vorteil genutzt wird. List, Täuschung und Vorteilssuche sind daher bevorzugte Elemente des Wettbewerbs und probate Mittel der Strategie.

Aus der selbstbezogenen Ertragslogik der Betriebswirtschaft folgt nicht nur das Mantra des Wettbewerbs, sondern damit einhergehend die Verengung der Strategieperspektive auf „*Knappheit*". Strategische Planung, so die gängige Lesart, dient der ertragsorientierten Organisation von Knappheit – sei es an Zeit, Geld oder sonstigen Mittel und Ressourcen.

▶ These 4: Ökonomische Strategien organisieren Knappheit zur Steigerung unternehmerischen Ertrags.

In dieser ertragsorientierten Knappheitsfixierung verkennt das ökonomische Strategieverständnis ein zentrales Faktum: Ertrag, als Kennzeichen für Erfolg, ist immer nur Folge und deshalb kein geeignetes Ziel der Strategie. Steht der Ertrag ganz oben und nicht seine Ursache, ein Nutzen, der von Kunden zu Preisen erworben wird, die in Ertrag münden, fallen knappheitsfokussierte Strategien in ihre eigene *Wertefalle*. Sie sind dann blind gegenüber den eigentlichen Werttreibern im Unternehmen. Dadurch setzen sie falsche Hebel. Die *Strategiefalle* schnappt zu.

Sie hat eine innere und eine äußere Dimension. Die äußere verkennt, dass Ertrag und Erfolg die Folge einer ursprünglichen Nutzenstiftung sind, die sich nicht mit Ertragszielen und Ertragskennzahlen erfassen lässt. Die innere Dimension der Strategiefalle ist das Resultat dieser Verkennung, nämlich die Fixierung auf den Ertrag selbst, also auf eine rein quantitative Größe, die die qualitativen Grundlagen für Ertragsfähigkeit aus den Augen verliert.

Bringen wir mit dieser Skizze der ökonomischen Logik der Strategieentwicklung das dahinter liegende Strategieverständnis auf den Punkt. Aus betriebswirtschaftlicher Sicht dient die Unternehmensstrategie der Organisation von Knappheit mit dem Ziel, Erträge zu steigern. Hierzu richtet sie strategische Ziele und operative Mittel so aneinander aus, dass das Unternehmen im Wettbewerb bestehen kann. Betrachtet man aus einer Metaperspektive, wie im ökonomischen Strategieverständnis die Vorstellungen von Strategie, Wettbewerb, Knappheit und Kampf zusammen hängen, eröffnet sich der Werteraum, der die ökonomische Logik der Strategieentwicklung bestimmt:

- aus dem Fundus der Kriegsstrategien ist es die Vorstellung der Dominanz (Clausewitz 1832; Sun Zi 1988; Musashi 1645), betriebswirtschaftlich entspricht sie dem Ideal absoluter Marktbeherrschung.
- aus dem Fundus der politischen Strategien sind es die Werte der List, der Taktik sowie der strategischen Kooperation mit „Feinden" (Machiavelli 1531, 1532; Abu Ali al-Hasan NIZAMULMULK 1959; Schmitt 1932)", betriebswirtschaftlich entsprechen sie dem Ideal der absoluten Beherrschung der Wertschöpfungskette.
- aus dem Fundus der ökonomischen Strategien ist es der Wert der selbstbezogenen Vorteilnahme, betriebswirtschaftlich entspricht ihm das Ideal der uneingeschränkten Ertragsgestaltung auf Grundlage exklusiver Produkteignerschaft.

Spannt man diese drei Dimensionen der ökonomischen Strategiebildung, d. i. das Streben nach Marktbeherrschung, nach Beherrschung der Wertschöpfungskette und nach exklusiver Produkteignerschaft als Strategieraum auf, steht in dessen Zentrum das Ideal des Monopols. Auch wenn es der Gesetzgeber unterbinden möchte: *die ökonomische Logik der Strategieentwicklung zielt auf eine möglichst monopolistische Beherrschung des Marktes (Kunden und Wettbewerber), der Wertschöpfungskette (Lieferanten und Kunden) sowie der Produkt- und Preisgestaltung (Monopol im Anbietermarkt). Strategie und Taktik erweisen sich in dieser Logik als Mittel zur Generierung rein selbstbezogener Ziele.*

Angesichts der immer weiter um sich greifenden Ökonomisierung aller Lebensbereiche führt dieses Strategie- und Handlungsverständnis in unserer heutigen Lebenswelt zu zwei gravierenden Konsequenzen. Sie bilden den Ausgangspunkt für den Ruf nach einem nachhaltigeren und verantwortlicheren Strategie- und Wirtschaftsverständnis: die erste Konsequenz betrifft das zwischenmenschliche Verhalten des scheinbar „rational" handelnden Homo Oeconomicus, die zweite das Verhalten von Unternehmen in ihrem Umfeld aus Natur und Gesellschaft.

Mentale Modelle: Die Ökonomisierung der Lebenswelt
Dass der profit- und knappheitsgetriebene Austausch von Gütern und Dienstleistungen die menschlichen Austauschbeziehungen antreibt, ist heute zur dominanten Vorstellung geworden, mit der wir menschliches Bestreben beschreiben. Sie ist der Grund für eine immer weiter um sich greifende Ökonomisierung der Lebenswelt. Diese kristallisiert sich in der ökonomischen Vorstellung heraus, dass die Marktwirtschaft die Grundkonstante des Wirtschaftens sei. Betrachtet man jedoch die menschlichen Austauschbeziehungen aus einer anthropologischen Perspektive (Mauss 1925; Starobinski 1994), dient der Gabentausch weniger der Verteilung knapper Güter mit dem Ziel persönlicher Profitmaximierung, als vielmehr der Stabilisierung von sozialen Beziehungen. Dabei wirken die archaischen Vorstellungen von Ehre und Kredit (Mauss 1925, S. 59 ff.) sowie die daran geknüpften Verpflichtungen von Geben, Nehmen und Erwidern (l.c. 71 ff.) bis heute in sozial- und nationalökonomische Institutionen, z. B. Genossenschaften (l.c. 130 ff.). Auch diese, so Mauss, sind einer tief verankerten Moral verpflichtet, die die Vorteilsnahme über die Vorteilsgabe kanalisiert. Auch im zutiefst ökonomisch geprägten Konzept des ehrbaren Kaufmanns findet diese Moral ihren Ausdruck, beruht doch dessen Geschäftsverhalten auf Vertrauensbeziehungen, die durch den ehrbaren Handel allererst konstituiert, bestätigt und gefestigt werden.

In der Realität sind diese Sozialbande und damit auch die wirtschaftlichen Austauschbeziehungen immer schon sowohl von den menschlichen Tugenden, wie Fairness, Fürsorge, Kooperation, Gemeinschaftssinn, Vertrauen und Verantwortlichkeit als auch von den menschlichen Untungenden, wie Egoismus, Eitelkeit, Gier und persönlichem Machtstreben geprägt. Deshalb beeinflusst *das mentale Modell, wer und was der Mensch sei,* nicht nur den Blick auf unsere Austauschbeziehungen, sondern beeinflusst dadurch auch die sich selbst erfüllende Rückkopplungsschleife von Erwartung, Wahrnehmung und danach ausgerichteten eigenen Handlungen: *Fiktion prägt Wirklichkeit, – unsere mentalen Modelle von der Welt lenken das gelebte Handlungsgeschehen und dieses die soziale Realität.* Hierbei stehen sich zwei Auffassungen über die Natur des Menschen diametral gegenüber. Mit dem Hobbsschen Credo, dass der Mensch des Menschen Wolf sei, gehen die einen davon aus, dass wir in unserer biopsychosozialen Konditionierung von Natur aus bösartig und schlecht seien, will heißen, dass wir in der Regel egoistisch und unzivilisiert selbstbezogen handeln (Duerr 1988; Dawkins

1976). Die emanzipatorisch-aufklärerische Gegenposition argumentiert mit Rousseau und Kant dagegen, weil der Mensch im Kern empathisch und gut sei, also in der Regel zivilisiert und sozial kooperativ handelt (Elias 1939; Bauer 2006, 2008).

Unterstellen wir mit dem ökonomischen Modell des Menschen, dass der homo eoconomicus ein selbstbezogener rationaler Nutzenmaximierer sei, und unterlegen wir diese Vorstellung mit den ökonomischen Vorstellungen, dass Märkte Austauschplattformen sind, wo im freien Wettbewerb knappe Güter optimal verteilt und aus dieser Verteilung individuelle Profite erzielt werden, führt die auf Knappheit konzentrierte Wettbewerbsperspektive individueller Profiterzielung zwangsläufig zu einer Handlungsspirale, in der nach und nach alle Austauschbeziehungen auch unter möglichen Aspekten der profitorientierten Vorteilsnahme betrachtet werden. Dadurch werden erstens immer weitere Facetten der Lebenswelt in den Bannkreis der Ökonomisierung gezogen. Dies führt zweitens dazu, dass der kollektive Wettbewerb zu den oben beschriebenen Konzentrationen führt, die die existentiellen Grundlagen aushöhlen.

Diese doppelte Auswirkung, die die heute dominierenden mentalen Modelle der Wirtschaftswissenschaften auf die Lebenswirklichkeit haben, kann an der *Ressourcenraubbauspirale* verdeutlicht werden, die sich aus der ökonomischen Fiktion der Wohlstandsschöpfung durch disruptive Geschäftsmodelle ergibt.

Ressourcenraubbau

Folgen wir dem ökonomischen Credo der Wohlstandsmehrung, führt die dem Wettbewerbsdenken innewohnende Vorstellung kreativer Zerstörung (Schumpeter 1942), d. i. die Vorstellung, dass das Bessere des Guten Feind sei und daher selbst gute Geschäftsmodelle durch Bessere aus dem Markt gedrängt werden, zur Überzeugung, dass die kreative Zerstörung ein Prozess der kollektiven Anreicherung von Chancen und Wohlstand sei. Betrachten wir jedoch die oben unter „Fürstentümer und Königreiche" beschriebene Konzentrationsspirale und die Ausbildung von „The winner takes it all"-Strukturen, kann die Auswirkung der zentralen mentalen Modelle der Ökonomie auf die Lebenswelt als ein Prozess der breiten Abreicherung begriffen werden, und zwar sowohl der Abreicherung einer breiten Teilhabe erwirtschafteten Wohlstands als auch der breiten Erosion der natürlichen Ressourcenbasis aus vielfältigen menschlichen und natürlichen Ressourcen, die den heutigen Wohlstand nähren.

Deutlich wird dies, wenn wir die im ersten Kapitel skizzierten Konsequenzen des technologiegetriebenen Wandels mit den zentralen Prämissen des ökonomischen Weltbildes abgleichen und zu einer Kausalkette verdichten:

Prämisse 1: Menschen und Unternehmen sind rationale Nutzenmaximierer.

Prämisse 2: Güter und Mittel (Ressourcen) sind knapp.

Prämisse 3: Im Kampf um knappe Güter und Mittel stehen sowohl Menschen als auch Unternehmen im Wettbewerb.

Prämisse 4: Die optimale Form des Austauschs knapper Güter erfolgt in Wettbewerbsarenen (Märkten), die nach den freien Regeln von Angebot und Nachfrage organisiert sind.

Prämisse 5: Wettbewerbsvorteile im profitorientierten Kampf um knappe Güter und Mittel generieren gesteigerte Profite, die wiederum als Mittel im Wettbewerb einsetzbar sind.

Prämisse 6: Kreativität und Intelligenz können Mittelknappheit ersetzen, so dass die Entwicklung neuer, disruptiver Geschäftsmodelle selbst angestammte „Platzhirsche" vom Markt fegen kann.

Unterlegen wir diese Prämissen des mentalen Modells der Ökonomie mit den im ersten Kapitel skizzierten Entwicklungen, welche durch den technologischen Wandel hervorgerufen wurden und gleichen wir diese mit den Geschäftsmodellen beispielsweise von UBER, Apple oder auch Amazon ab, ergibt sich folgende Rückkopplungsschleife, die das Handeln der ökonomischen Akteure leiten und den Prozess der Ökonomisierung der Lebenswelt immer weiter vorantreiben:

- Der Wettbewerb um knappe Güter führt im iterativen Prozess von Gewinn und Verlust zur Konzentration der Mittel in der Hand weniger Player, wobei der technologische Wandel diesen Konzentrationsprozess globalisiert und beschleunigt
  - Konzentration führt bei den großen Playern zu zusätzlichen Wettbewerbschancen (Vorteile durch economies of scale sowie durch horizontal und vertikal integrierte Wertschöpfungsketten), die nach Möglichkeit zu marktabschottenden Dominanzstrategien verdichtet werden
    - Der Wettbewerb in Märkten, die von marktabschottenden Dominanzstrategien geprägt sind, führt zur Suche nach disruptiven

Geschäftsmodellen, da nur sie neuen und kleineren Playern Wettbewerbsvorteile eröffnen

- Global wirksame disruptive Geschäftsmodelle (beispielsweise Industrie 4.0) führen zu weiterer Konzentration
  - In der Folge dieser Konzentration kommen auf breiter Basis Arbeitsplätze sowie eine breite, kleinstrukturierte Unternehmenslandschaft unter Druck
    - Die Erosion einer breiten, kleinstrukturierten Beschäftigtenbasis und Unternehmenslandschaft führt bei den verbleibenden Anbietern und Dienstleistern im Markt zu erhöhtem Preisdruck beim Angebot von Produkten und Dienstleistungen
      - Der steigende Preisdruck beim Angebot von Produkten und Dienstleistungen kann nur durch neue disruptive Geschäftsmodelle oder eine noch weiter greifende Kostensenkung der Produktionskosten ausgeglichen werden (Reduktion der Faktorkosten Arbeit und Ressourcen, Auslagerung von Kosten in die nachgelagerte Supply Chain, Billiglohnfertigung an Standorten mit keinen oder geringen Sozialstandards und Umweltauflagen)
        - Durch den steigenden Preisdruck kommen auf globaler Ebene sowohl die Ressourcenbasis als auch die Einkommensbasis einer breiten Schicht an Zuliefererbetrieben und im Arbeitsprozess Beschäftigter unter Druck
          - Dieser Druck auf die Ressourcenbasis treibt die Spirale weiter voran

Als Beispiel für die Wirksamkeit dieser sich aufschaukelnden Spirale von Konzentration und Ressourcenerosion kann der globale Wealth-Index herangezogen werden, wie er jüngst von Boston Consulting erhoben wurde (BCG 2015). Ihm gemäß stieg das private Vermögen trotz der geringen Zinsen am Geldmarkt in 2014 um 11,9 %, nachdem es schon 2013 um 12,3 % gestiegen war. Zum Vergleich: im gleichen Zeitraum wuchs das globale Bruttoinlandsprodukt in 2013 um 3,41 % und in 2014 um 3,39 %. Es ist somit davon auszugehen, dass der von Boston Consulting ermittelte Wohlstandszuwachs aus den überproportionalen Wertsteigerungen der sehr ungleich verteilten

Vermögen herrührt. Ohne in die Diskussion um das Für und Wider von Thomas Pikettys Kapitalismuskritik (Piketty 2013) einsteigen zu wollen, ist jedenfalls festzuhalten, dass heute laut dem am 19.1.2015 veröffentlichten OXFAM-Bericht „Wealth: Having It All And Wanting More" die 80 wohlhabendsten Milliardäre der Welt so viel besitzen wie 3,5 Mrd. Menschen, d. h. wie die ärmere Hälfte der Weltpopulation (OXFAM 2015).

Relevanter als die individuelle Vermögensverteilung ist aus Unternehmenssicht der Sachverhalt, dass diese durch kreative Zerstörung ausgelöste Spirale konzentrierter Wohlstandsmehrung zunehmend die Existenzmöglichkeit einer breiten, vielfältigen Unternehmenslandschaft bedroht und ein Weiter so im derzeit vorherrschenden mentalen Modell der Ökonomie diese Bedrohungslage noch steigert. Ein Beispiel: Wie Umair Haque in „The New Capitalist Manifesto: building a disruptively better business" (Haque 2011) darlegt, können die reale Einkommens- und Vermögensungleichheit in unvollkommenen Märkten den Ansatzpunkt für hocherfolgreiche disruptive Geschäftsmodelle liefern. Er nennt den Automarkt und dort den Sachverhalt, „[that] the global rich had plenty of choice in autos, while the global poor hat none" (Haque 2011, S. 124). Während die amerikanischen Unternehmen zum Schluss gekommen waren, dass es nicht möglich sei, Autos für die Armen der Welt zu fertigen, nutzte **Tata** mit diese Unvollkommenheit des Marktes ganz anders. „It focused on inequity – an incomplete marketplace for autos – like a laser beam. Tata asked, ‚How can we serve people, communities, and societies that are chronically and consistently underserved, marginalized, or ignored by automakers?' Its simple, world-changing answer was, ‚What if we can make a low-cost car for the poor?'" (l.c. 124).

Der springende Punkt dabei ist nicht, dass Tata den Markt gemäß der ökonomischen Logik des Wettbewerbs vervollständigte, indem es Autos auch für jene fertigte, die sich bisher kein Auto leisten konnten, sondern dass diese Lösung die Konzentrationsspirale noch weiter anheizt, indem in weitestgehend automatisierten Fertigungsprozessen Produkte für Menschen geschaffen werden, die auf keiner Stufe der Supply- und Fertigungskette an der Wertschöpfung des Fertigungsprozesses teilhaben.

Wie das Beispiel von Tata zeigt, leben alle disruptiven Geschäftsmodelle aus einer Logik, die auch dem Phänomen des „Lottomillionäres" bzw. dem „Tellerwäscher-zum-Millionär"-Mythos zugrunde liegen. Es kann immer nur einen oder wenige geben, weil der Eine notwendig die Abermillionen anderen voraussetzt, die es nicht geworden sind und auch nicht mehr werden können, wenn der „Jackpot" einmal geknackt wurde. Der

aus den gegenwärtigen mentalen Modellen der Ökonomie erwachsene tech-
nologische Wandel führt so zu einer sich kontinuierlich beschleunigenden
Konzentrationsdynamik, die breite Teile der heutigen Unternehmens- und
Konsumentenlandschaft bedroht, ohne das die Wohlstandsbasis auf breiter
Ebene angehoben werden würde. Dies unterstreicht die oben getroffene Feststellung, dass sich die durchökonomisierte Welt zunehmend in eine indus-
triell geprägte Welt von Fürstentümern und Königreichen wandelt, deren
Bewohner sich aufspalten in die Bewohner des Hofes und den großen Rest
von Hintersassen, die mit ihren Frondiensten den Hofstaat ausstatten, ohne
an den fürstlichen Tafeln teilzuhaben. Die im mentalen Modell der Ökonomie verankerte Vorstellung, dass kreative Zerstörung zu einer umfassenden
Wertschöpfung führen würde, schlägt so in der Realität in ihr Gegenteil um.
Die Direktoren des MIT Center for Digital Business, Erik Brynjolfsson und
Andrew McAffe, bezeichnen dieses Umschlagen als das Auseinanderfallen
von Gewinnern und Verlierern im zweiten Maschinenzeitalter. Mit Bezug
auf Ed Wolff (2010) und Sylvia Allegretto (2011) vermerken sie für die Ver-
einigten Staaten, dass die „superstars... in the Winner-Take-All-Economy"
(Brynjolfsson und McAfee 2014, S. 150) in exponentieller Form den erwirtschafteten Wohlstand abschöpfen, während der Rest Wohlstandsverluste zu
verzeichnen hat. „Between 1983 and 2009, Americans became vastly wealth-
ier overall as the total value of their assets increased. However, as noted by
economists Ed Wolff and Sylvia Allegrette, the bottom 80 % of the income
distribution actually saw a net decrease in their wealth. Taken as a group, the
top 20 % got not 100 % of the increase, but more than 100 %. ... The top 5 %
got 80 % of the nation's wealth increase; top 1 % got over half of that, and
so on for ever-finer subdivisions" (l.c. 131). „In other words, the top 0.01 %
now get a bigger share of the top 1 % of income than the top 1 % get of the
whole economy" (l.c. 149).

Dass diese Abreicherungsspirale von Konzentration, Preisdruck und Ressourcenraubbau nicht eine bloße Fiktion linker Theoretiker ist, belegt die
jüngste Studie zur „Work crisis – a divided tale of labour markets" (Kocic
2015), die von Aleksandar Kocic, dem Managing Director Research der
Deutschen Bank in New York, herausgegeben wurde, sowie deren Counter-
part, das schon 1996 von den McKinsey-Beratern Lowell Bryan und Diana
Farrell publizierte Buch „Market Unbound. Unleashing global capitalism"
(Bryan und Farell 1996). Die Kernaussage der Deutsche Bank-Studie lautet:

„For the first time since the industrial revolution new technology is destroy-
ing more jobs that it is able to remobilise. And as ever less labour is needed
to produce the same output, it is becoming clear in some countries that
growth is now possible without rising employment and wages. Such a pro-
found change is bound to have immense economic and social implications"
(l.c. 47). In diesen Implikationen erfüllt sich das, was der Soziologe Horst
Afheld schon 1997 in seinem Buch „Wohlstand für niemand?: Die Marktwirtschaft entlässt ihre Kinder" prognostiziert hat: „Arbeit wird billig wie
Dreck" (Afheld 1997, 58). Wird aber Arbeit billig wie Dreck, wird die hier
beschriebene Rückkopplungsspirale von Konzentration und Erosion vielfältigster menschlicher und natürlicher Ressourcen noch weiter beschleunigt.
Damit bestätigt diese Studie das Eintreten dessen, was Lowell und Farrell
als die geringere Wahrscheinlichkeit bei der Marktentwicklung ausmachten.
„As the market becomes unbound from the constraints of national govern-
ments, it is creating the potential of a tidal wave of global capitalism that
could drive rapid growth and highly beneficial integration of the world's
real economy well into the next century." „There is also," they admit: „a
somewhat less probable, but nonetheless significant, chance that the power
of this market could turn destructive and unleash financial instability and
social turmoil such as the world has not seen since the 1920s and 1930s"
(zitiert nach Elkington 1997, S. 107).
   Für die Zukunftsfähigkeit von Unternehmen bedeutet dies, dass sie sich
von den derzeit vorherrschenden mentalen Modellen der Ökonomie lösen
müssen, wenn sie Geschäftsmodelle entwickeln wollen, die diese Spirale
durchbrechen können, um in der eigenen Zukunftsfähigkeit eine breite
Wohlstandsteilhabe zu ermöglichen, die sich aus der nachhaltigen Schöpfung und Mehrung von Ressourcen speist. Wenn also Fiktion die Wirklichkeit prägt, erfordert Zukunftsfähigkeit die strategische Entwicklung neuer
Fiktionen, mit denen Geschäftsmodelle für die Märkte von Morgen auf den
Weg gebracht werden können.

Im Rahmen der Ökonomisierung immer weiterer Teile des Lebens wirkt sich
die betriebswirtschaftliche Logik der selbstbezogenen Profitoptimierung auf das
menschliche Verhalten aus, was Folgen hat. Wenn alles zur bezahlbaren Ware wird
und persönlicher Erfolg nur noch in Geldwerten zählt, erodieren die Grundlagen,
aus denen heraus soziale Gemeinschaften, Unternehmen, Familien oder auch ganze Gesellschaften leben. Drei Fakten belegen diese Entwicklung. Nimmt man die

Ethikdisposition junger Studenten vor Beginn ihres Studiums, sind Wertehaltungen des menschlichen Miteinanders – beispielsweise Fairness, Vertrauen, Hilfsbereitschaft, Mitgefühl, Gerechtigkeit … – im statistischen Mittel bei allen in etwa gleich stark ausgebildet. Untersucht man die Wertehaltungen derselben Studenten nach Abschluss ihres Studiums, ist festzustellen, dass die Wertedisposition des Miteinanders bei Studenten der Wirtschaftswissenschaften signifikant geschwunden und durch egozentrierte Werte, wie Höherbewertung persönlichen Erfolgs, Misstrauen gegenüber Anderen oder kompromissloses Durchsetzungsvermögen ersetzt worden sind (Godwyn 2014, 2015).

Erosion des Charakters: die selbsterfüllenden Erwartungen der enthemmten Moral

Dass unsere mentalen Modelle von uns Selbst und der Welt unser Handeln prägen, dürfte nach den bisherigen Argumentationen nicht mehr strittig sein. Dass sie darin auch unser mentales Genom – das ist unsere Auffassung von Moral und Menschlichkeit – verändern, ist nochmals gesondert hervorzuheben. Wie Juan Elegido in seiner Querschnittstudie „Business education and erosion of character" mit Bezug auf Simon (1985), Jensen und Meckling (1994) und Tetlock (2000) schreibt, produzieren unsere mentalen Modelle und Zuschreibungen, was der Mensch ist und wie er handelt, tiefgreifende Konsequenzen. Denn begreift sich der Mensch im Modell der neo-klassischen Ökonomie als rationaler Nutzenmaximierer, dann richtet er sein Verhalten an der Erwartung aus, die die ökonomischen Konzepte der Knappheit und des Wettbewerbs triggern, nämlich: dass es dort, wo keine gemeinsame Win-Win-Situation hergestellt werden kann, darum geht, den eigenen Vorteil auf Kosten anderer durchzusetzen. Da wir aber nie mit letzter Sicherheit wissen können, ob der Andere wirklich partnerschaftlich kooperieren wird, stehen alle wirtschaftlich geprägten Austauschbeziehungen immer schon im Bann des Misstrauens. Dieses Misstrauen wird durch die mentalen Modelle der Ökonomie – etwa das von Jenkins mitentwickelte Principal-Agent-Problem der der Gestaltung von Vertragsbeziehungen (Jensen und Meckling 1976) noch gesteigert. Denn in fast allen Facetten des Wettbewerbsdenkens herrscht der Gedanke vor, dass der Mensch im Kern primär selbstbezogen handelt, faktisch also egoistisch sei. Am Beispiel der Studenten der Wirtschaftswissenschaften verdeutlicht: „Students will come to expect that other people will act that way [i.e. selfishly, FG]. This has clear practical consequences because it is well established in prisoner dilemma experiments that most subjects will defect if they are told that their partners are going to defect (Dawes 1980). In other words, the mere fact that people expect that others will behave selfishly will tend to make them behave selfishly (Miller 1999)" (Elegido 2009, S. 18).

Die Erosion ethischer Wertehaltungen bei Studenten der Wirtschaftswissenschaften spiegelt sich in einem zweiten Faktum. Es beleuchtet den Unternehmensalltag. Paul Babiak und Robert D. Hare (2007) zeigen in einer Studie aus dem Jahr 2006, dass drei bis vier Prozent aller höherrangigen Angestellten in Unternehmen Soziopathen sind. Sie definieren Soziopathen als Menschen, die sich bei der Durchsetzung ihrer Eigeninteressen keinerlei sozialen Bindungen verpflichtet sehen und ihre Ziele auf Kosten anderer und ggf. um jeden Preis durchsetzen. Da der Anteil von Soziopathen an der Bevölkerung bei etwa einem Prozent liegt, belegt die Studie, dass das bestehende Wirtschaftssystem und die darin agierenden Unternehmen bevorzugt Menschen in Verantwortung bringen, die so agieren, wie es die Logik des Gefangenendilemmas beschreibt. Sie suchen den egozentrierten Vorteil auf Kosten anderer.

Noch ein drittes Faktum beleuchtet die Auswirkungen des homo oeconomicus Modells auf das menschliche Verhalten. Nimmt man die Gallup-Erhebungen zum „Engagement" bzw. Loyalitätsindex, sind Engagement und Loyalität in Unternehmen zumeist sehr gering ausgeprägt. Interessant ist an den jüngsten Zahlen aber weniger, dass im Schnitt beispielsweise der deutschen Arbeitnehmerschaft 15 % der Mitarbeiter innerlich gekündigt haben und der Wirtschaft dadurch Schäden von 73–95 Mrd. € entstehen (Gallup 2015), sondern mehr noch, dass 70 % der Beschäftigten lediglich Dienst nach Vorschrift machen. Auch dieser Sachverhalt kann so interpretiert werden, dass die Arbeitsleistung rein selbstbezüglich ausgeführt wird. Man arbeitet gerade so viel, dass man nicht auffällt und dafür seinen Lohn samt Zulagen erhält, ohne Bereitschaft zu zeigen, sich für das Team einzusetzen. Dessen negative Auswirkungen gehen wohl weit über den Schaden hinaus, den jene 15 % der Mitarbeiter verursachen, die bereits innerlich gekündigt haben.

Die ökonomische Logik der knappheitsfixierten Ertragsorientierung verändert nicht nur das Verhalten Einzelner in Richtung egozentrierter Vorteilsnahme, sondern auch das systemische Verhalten von Unternehmen und Märkten. Kenntlich wird dies an zwei Sachverhalten. Erstens an den Konzentrations- und Dominanzstrategien, die dazu führen, dass Unternehmen idealerweise ihren Markt exklusiv beherrschen wollen.[3] Wie die oben im Einschubkasten „Fürstentümer und Königreiche" genannten Beispiele zeigen, führt dies dazu, dass sich in allen Märkten Konzentrationsdynamiken entwickeln, die zur Ausdünnung bis hin zur Vernichtung eines vielfältigen Marktes führen und damit die Marktlogik eines freien Wettbewerbs als Fiktion entlarven. Der zweite Sachverhalt ist noch bedenklicher. *In einer rein selbstbezogen ertragsfixierten Unternehmensführung neigen Unternehmen bei sich bietender Gelegenheit dazu, strategisch bevorzugt solche Mittel zu nutzen, die nicht mit Marktpreisen belegt sind und folglich das Unternehmen nichts kosten.* Denn sie bieten einen idealen Hebel für exponentielle Profite. Auch wenn es mit Blick auf diesen zweiten Sachverhalt namhafte Gegenbeispiele gibt, beispielsweise die Unternehmen Interface, Hilti, HIPP, Patagonia oder Icebreaker, belegen die Zahlen zum globalen Ressourcenraubbau sowie die Auslagerung von Risiken und Kosten in die Supply Chain, z. B. die Vermeidung von Arbeitsschutzmaßnahmen durch Outsourcing nach Indien, Bangladesch oder Vietnam: unternehmerischer Profit geht oft einher mit der Nutzung von Ressourcen, die anderen oder der Allgemeinheit gehören, die nicht nur nicht an ihrer Nutzung partizipieren, sondern zudem noch die Folgekosten dieser Nutzung zu tragen haben.

> ► These 5: Die ökonomische Logik der knappheitsfixierten Ertragsorientierung treibt Unternehmen in Strategien kurzfristigen Denkens und selbstbezogenen Ressourcenraubbaus.

Dieser Logik gemäß wirtschaften Unternehmen besonders dann erfolgreich, wenn sie Profite privatisieren sowie anfallende Kosten auslagern oder kollektivieren. Es ist die Logik verantwortungslosen Profits auf Kosten anderer.

Literatur

Abu Ali al-Hasan NIZAMULMULK (1092/1959) Das Buch der Staatskunst Siyasatnama. Aus dem Persischen übersetzt und eingeleitet von Karl Emil Schabinger Freiherr von Schowingen. Manesse, Zürich. (2. Aufl., 1987)

---

[3] Im Großen fallen die Strategien von Apple, Google, Facebook und Co. darunter. Denn mit dem Aufbau eigener geschlossener Produktwelten streben sie danach, ihre Märkte so zu arrondieren, dass für Kunden ein Verlassen der jeweiligen „Reiche" zu exorbitanten negativen Transaktionskosten und Datenverlusten führt. Im kleineren finden wir die gleichen Strategien bei einigen der Hidden Champions (Simon 2007), beispielsweise der Truma Gerätetechnik GmbH & Co.KG, die den europäischen Markt für gasbetriebene Caravan-Heizungen fast alleine bespielt.

Allegretto S (2011) The state of working America's Wealth. Briefing Paper No. 292, Economic Polica Institute, Washington, D.C. http://epi.3cdn.net/2a7ccb3e9e618f0bbc_3nm6id-nax.pdf

Babiak P, Hare RD (2007) Menschenschinder oder Manager. Psychopathen bei der Arbeit. Hanser, München.

Bauer J (2006) Prinzip Menschlichkeit: Warum wir von Natur aus kooperieren. Heyne, München (2008)

Bauer J (2008) Das kooperative Gen. Abschied vom Darwinismus. Hoffmann & Campe, Hamburg

BCG Boston Consulting Group (2015) Global wealth 2015: winning the growth game. https://www.bcgperspectives.com/content/articles/financial-institutions-growth-global-wealth-2015-winning-the-growth-game/

Bryan L, Farrell D (1996) Market unbound: unleashing global capitalism. Wiley, New York

Brynjolfsson E, McAfee A (2014) The second machine age. Work, progress, and prosperity in a time of brilliant technologies. Norton, New York

Clausewitz C von (1832) Vom Kriege. https://archive.org/details/Clausewitz-Carl-Vom-Kriege-2

Clausewitz (2001) Clausewitz – Strategie denken. Herausgegeben vom Strategieinstitut der Boston Consulting Group, Oetinger, Boko v., Tiha v. Ghyczy, Christopher Bassford. dtv, München (4. Aufl. 2004)

Dawes RH (1980) Social Dilemmas. Annu Rev Psychol 31:163–193

Dawkins R (1976) The Selfish Gene. Oxfort University Press, 30th Anniversary ed. 2006

Duerr H-P (1988) Der Mythos vom Zivilisationsprozeß – Band 1: Nacktheit und Scham. Suhrkamp, Frankfurt a. M.

Elegido J (2009) Business education and erosion of character. Afr J Bus Ethic 4(1):16–24

Elias N (1939) Über den Prozeß der Zivilisation. Soziogenetische und psychogenetische Untersuchungen. Suhrkamp (1976)

Elkington J (1997) Cannibals with forks. The triple bottom line of 21st century business. Capstone, Oxford

Gallup (2015): Presseerklärung Engagement Index 2014. http://www.gallup.com/de-de/181871/engagement-index-deutschland.aspx

Godwyn M (2014) The banality of good and evil: ethics courses in business management education. Paper delivered at the at the International CSR, Sustainability, Ethics & Governance Conference, London, UK, University of Surrey, Guildford, August 14–16 2014

Godwyn M (2015) Ethics and diversity in business management education: a sociological study with international scope. Springer, Berlin

Goedhart M, Koller T, Wessels D (2015) The real business of business. Shareholder-oriented capitalism is still the best path to broad economic prosperity, as long as companies focus on the long term. In: McKinsey Quarterly, March 2014. http://www.mckinsey.com/insights/corporate_finance/the_real_business_of_business?cid=other-eml-alt-mip-mck-oth-1503

Greene R (2001) POWER. Die 48 Gesetze der Macht. dtv, München

Grossman SJ, Oliver DH (1983) An analysis of the principal-agent problem. Econometrica 51(1):7–45

Haque U (2011) The New capitalist manifesto. Building a disruptively better business. Harvard Business Review Press, Boston

Holmstrom B (1979) Moral hazard and observability. Bell J Econ 10(1):74–91 (Spring 1979)

Jensen MC, Meckling WH (1976) Theory of the firm: managerial behaviour, agency costs and ownership structure. J Financ Econ 3(4):305–360

Jensen MC, Meckling WH (1994) The nature of man. J Appl Corp Financ 7(2):4–19

Kocic A (2015) Work crisis- a divided tale of labour markets, In: Deutsche Bank Konzept. Reflections on unusual issues. June 2015, S 46–53. https://www.dbresearch.de/PROD/DBR_INTERNET_DE-PROD/PROD0000000000357626/Konzept+Issue+05.pdf

Machiavelli N (1531) Discorsi. Gedanken über Politik und Staatsführung. Kröner, Stuttgart (1977, 2. Aufl.)

Machiavelli N (1532) Der Fürst. Kröner, Stuttgart (1978, 6. Aufl.)

Mauss M (1925) Die Gabe. Form und Funktion des Austauschs in archaischen Gesellschaften. In: Mauss M (Hrsg) Soziologie und Anthropologie, Bd. II. Gabentausch, Todesvorstellung, Körpertechniken. Ullstein, Frankfurt a. M., S 9–144

Miller DT (1999) The norm of self-interest. Am Psychol 54(12):1053–1060

Musashi M (1645) Das Buch der Fünf Ringe „Gron-no-sho". Klassische Strategien aus dem alten Japan. Piper, München (2005)

OXFAM (2015) Wealth: having it all and wanting more. (OXFAM International) Oxford, 19. Januar 2015. http://www.oxfam.de/sites/www.oxfam.de/files/ib-wealth-having-all-wanting-more-190115-embargo-en.pdf

Piketty T (2013) Das Kapital im 21. Jahrhundert. Beck, München (2. Aufl., 2014)

Rappaport A (1986) Shareholder Value. Wertsteigerung als Mass-Stab für die Unternehmensführung. Schäffer Poeschel, Stuttgart 1995; Creating Shareholder Value. The New Standard for Business Performance. The Free Press, New York

Schmitt C (1932) Der Begriff des Politischen. Duncker & Humbolt, Berlin. (3. Aufl., der Ausg. von 1963, 1991)

Schumpeter JA (1942) Kapitalismus, Sozialismus und Demokratie. UTB, Stuttgart (2005)

Simon HA (1985) Human nature in politics: the dialogue of psychology with political science. Am Political Sci Rev 79(2):293–304

Simon H (2007) Hidden Champions des 21. Jahrhunderts: Die Erfolgsstrategien unbekannter Weltmarktführer. Campus, Frankfurt a. M.

Starobinski J (1994) Gute Gaben, schlimme Gaben. Die Ambivalenz sozialer Gesten. Fischer, Frankfurt a. M.

Sun Zi (1988) Die Kunst des Krieges. In: Clavell J (Hrsg) Droemer Knaur, München

Tetlock PE (2000) Cognitive biases and organizational correctives: do both disease and cure depend on the politics of the beholder? Adm Sci Q 45:293–329

Tucker AW (1950) A Two-Person Dilemma: The Prisoner's Dilemma. Nachdruck in: Straffin Philip D (1983) The Mathematics of Tucker: A Sampler. Two-Year Coll Math J 14(3):228–232. http://www.jstor.org/stable/3027092

Weissman A (2006) Die grossen Strategien für den Mittelstand. Die erfolgreichsten Unternehmer verraten ihre Rezepte. Campus, Frankfurt a. M. (2. aktualisierte Aufl., 2011)

Wolff EN (2010) Recent trends in household wealth in the United States: rising debt and the middle-class squeeze—an update to 2007. Working Paper No. 589. Levy Economics Institute of Bard College. March 2010. http://www.levyinstitute.org/pubs/wp_589.pdf

Die CSR-Logik der Strategieentwicklung: Verantwortung

4

Der Ruf nach einem ganzheitlich verantwortlichen Wirtschaften (Corporate Social Responsibility) versucht die Zwangslogik kurzfristiger, Raubbau fördernder Unternehmensstrategien zu durchbrechen. Er fordert Unternehmen auf, ihren Erfolg nicht mehr ausschließlich am kurzfristigen Primat des Ertrags zu bemessen, sondern auch am langfristigen Primat der Nachhaltigkeit. Diese Nachhaltigkeitsperspektive betrachtet die Triple Bottom Line der ökonomischen, ökologischen und sozialen Wirkungen unseres wirtschaftlichen und gesellschaftlichen Handelns, wie sie in § 8 der Johannesburg Declaration on Sustainable Development (A/CONF.199/20; http://www.un-documents.net/jburgdec.htm) sowie daran anschließend von Elkington (1997) und Fisk (2010) ausformuliert wurden.

Selbst wenn wir unterstellen, dass sich die Fragen, auf welchen Grundlagen und mit welchen Maßstäben[1] ökologische und soziale Nachhaltigkeit gemessen werden

---

[1] Nimmt man die Nachhaltigkeitsformulierung aus dem Brundtland-Bericht, bleibt mit dem dort verwendeten überaus schwammigen Begriff der Bedürfnisse („needs") gerade offen, wie Nachhaltigkeit auszudeuten ist: „Sustainable development is development that meets the needs of the present without compromising the ability of future generations to meet their own needs. It contains within it two key concepts: the concept of ,needs', in particular the essential needs of the world's poor, to which overriding priority should be given; and the idea of limitations imposed by the state of technology and social organization on the environment's ability to meet present and future needs." (Brundtland Bericht: Report of the World Commission on Environment and Development: Our Common Future, http://www.un-documents.net/our-common-future.pdf, S. 42). Hieran ändert auch die Präzisierung nichts, die der Weltbank-Ökonom Herman Daly nachgeschoben hat. Ihr gemäß erfüllen nachhaltige Gesellschaften drei Kriterien: „A sustainable society needs to meet three conditions: its rates of use of renewable resources should not exceed their rates of regeneration; its rates of use of non-renewable resources should not exceed the rate at which sustainable renewable substitutes are developed; and its rates of pollution emission should not exceed the assimilative capacity of the environment" (zitiert nach Elkington 1997, S. 55 f.). Auch in dieser Präzisierung bleibt jedoch offen, wo, wie und mit welchen Mitteln solche Nachhaltigkeit gemessen wird

© Springer-Verlag Berlin Heidelberg 2016
F. Glauner, *Zukunftsfähige Geschäftsmodelle und Werte,*
DOI 10.1007/978-3-662-49242-0_4

sollen, so präzise lösen ließen wie die ökonomische Messung von Ertrag,[2] bleibt offen, weshalb Unternehmen überhaupt einen Triple Bottom Ansatz einnehmen sollten. Aus der Perspektive des „Advocatus Diaboli" gesprochen kann argumentiert werden, dass – so etwa Luhmann – das System der Wirtschaft anderen Regeln folgt, als etwa das System des Politischen, des Rechts oder der Moral (Luhmann 1997, S. 595 ff.). Es ist deshalb nicht zwingend, das eine mit den Maßstäben des anderen zu bewerten. Folgt man Karl Homann (Homann und Blome-Drees 1992; Homann und Lütge 2005) oder auch der Logik der Corporate Governance,[3] ist alles, was von Unternehmen im Rahmen des gesetzlich Zulässigen unternommen wird, legitimiert. Somit können seitens Unternehmen alle weitergehenden Anforderungen zurückgewiesen werden.

Was also ist die strategische Logik von CSR und weshalb verfängt sie nicht auf der Ebene der Unternehmen? Auf den Punkt gebracht ist es die Logik, Unternehmen als Akteure der Zivilgesellschaft zu betrachten. Im Sinn einer habituellen Unternehmensethik (Hemel   et al. 2012) tragen sie darin Verantwortung auch für die gesellschaftlichen Folgen ihres Handelns.

Warum aber greift dieses Pochen auf unternehmerische Verantwortung nicht? Betrachten wir ein Unternehmen, das im harten Wettbewerb steht und die Möglichkeit hat, teure Arbeitskräfte zu entlassen und die Produktionsstätte an einen Ort zu verlagern, wo deutlich geringere Löhne und Auflagen für Arbeits- und Umweltschutz gelten. In der Mehrheit der Fälle wird es diese legale, jedoch eher unethische Chance der Kostenreduktion nutzen. Steht ein Unternehmen mit dem Rücken zur Wand, wird es sie automatisch ergreifen, um sein Überleben zu sichern. Diese Kluft zwischen unternehmerischem Handeln und den von Politik, Gesellschaft und CSR-Adepten geforderten Nachhaltigkeitsansprüchen zeigt, CSR greift auf der Unternehmensebene nicht. Dies aus zwei Gründen: erstens, weil die

---

– auf lokaler Ebene, auf der Ebene einzelner Gesellschaften oder auf globaler Ebene – und wie diese Messungen an konkretes unternehmerisches Handeln zurückgekoppelt werden.

[2] Betriebswirtschaftlich bemisst sich Erfolg an den Kennzahlen der Bilanz und GuV sowie an den erweiterten Kennzahlen von EFQM und Balanced Score Card Modellen (Kaplan und Norton 1996). Volkswirtschaftlich sind es dagegen Kennzahlen, wie z. B. der jährliche Zuwachs am Bruttosozialprodukt (vgl. Lepenies 2013) oder der nationale Verschuldungsgrad, die Beschäftigungslage und der Handelsüberschuss.

[3] In der Logik der Corporate Governance legt der Gesetzgeber gemeinsam mit der Wirtschaft in normierten Verfahren fest, wie sich Unternehmen zu verhalten haben: „Der Deutsche Corporate Governance Kodex (der „Kodex") stellt wesentliche gesetzliche Vorschriften zur Leitung und Überwachung deutscher börsennotierter Gesellschaften (Unternehmensführung) dar und enthält international und national anerkannte Standards guter und verantwortungsvoller Unternehmensführung." (Präambel des Deutschen Corporate Governance Kodex, http://www.dcgk.de/de/kodex/aktuelle-fassung/praeambel.html)

Ansprüche von außen an das Unternehmen herangetragen werden, und zweitens, weil die erhobenen Ansprüche auf Problembestände der Meso- und Makroebene abzielen, also das Verhältnis von Unternehmen, Wirtschaft und Gesellschaft. Wie weiter unten ausführlich gezeigt wird, bleiben Unternehmen in ihren strategischen und taktischen Überlegungen jedoch notwendig auf die Mikroebene der Unternehmensführung fokussiert.

> ▶ These 6: CSR verfängt nicht in Unternehmen, weil es nicht dem Verständnis von Verantwortung entspricht, das die Logik der Ökonomie dem Unternehmen vorschreibt.

Belegt wird die These, das CSR von außen an Unternehmen herangetragen wird, gerade durch die Leuchttürme CSR-geprägter Unternehmensführung, darunter dm, Hilti, Hipp. Leuchttürme sind sie deshalb, weil sie die Ausnahmeerscheinungen im dunklen Meer der Akteure sind, die ihr Handeln ausschließlich an der oben skizzierten ökonomischen Logik ausrichten. In ihr erschöpft sich das Verantwortungsbewusstsein der Akteure auf die Mikroebene des Unternehmens, d. i. auf die Logik der Ertragssicherung. Wenn ethisches Verhalten dazu dienlich ist, ist das ein schöner Nebeneffekt, nicht jedoch das primäre Ziel unternehmerischer Aktivitäten. Wirkt ethisches Verhalten dagegen ertragsmindernd, wird es, wie das Beispiel der Produktionsverlagerung zeigt, als unnötiger Ballast zumeist über Bord geworfen. Weder das Ideal des ehrbaren Kaufmanns noch ein wohltätiger „Employer Brand" oder das partizipative Teilen von Ertragschancen kann darüber hinweg täuschen, dass, wenn es um Moral und Existenz geht, Unternehmen in der Regel Berthold Brechts Diktum folgen: Erst kommt das Fressen, und dann die Moral.

Das Faktum, dass CSR von außen an das Unternehmen herangetragen wird und auf der Mikroebene des Unternehmens keinen Widerhall findet, wird unterstrichen, wenn wir uns die Evolution der CSR-Konzepte vergegenwärtigen und diese kritisch auf die Logik der Ökonomie abbilden. Folgt man Thomas Walkers Maturity-Model der CSR-Generationen, entwickelte sich das CSR-Verständnis in vier Stufen (Walker 2013, S. 66; Walker und Schmidpeter 2015). In der ersten Generation wird es in unkoordinierten Einzelmaßnahmen umgesetzt. In der zweiten Generation von CSR integrieren Unternehmen eine weitergehende Vorstellung von Verantwortung in das Kerngeschäft. Neben den Interessen der Shareholder werden hier auch die Belange sonstiger relevanter Anspruchsgruppen strategisch und taktisch berücksichtigt. Auf der dritten Ebene agieren Unternehmen als Mitgestalter der gesellschaftlichen Rahmenbedingungen und in der vierten Generation zielen CSR-Bestrebungen auf gegenseitigen Mehrwert für die Organisation und die Gesellschaft/Umwelt.

Warum unterstreichen diese vier Stufen die These, dass CSR nicht der inneren Logik der Unternehmensführung entspringt? Es gibt verschiedene Antworten. Für das CSR der ersten Generation lautet sie: weil CSR der ersten Ebene in individualethischen Überzeugungen einzelner Unternehmer und Manager gründet, ohne dass diese Überzeugungen eine Allgemeinverbindlichkeit beanspruchen könnten oder einem betriebswirtschaftlich notwendigen Kalkül entspringen würden. Deutlich wird das am Konzept des „ehrbaren Kaufmanns", das Walker zur ersten Generation von CSR zählt (Walker 2013, S. 66). Die Ehre des Kaufmanns kann sich auf Vieles beziehen. Nimmt man etwa die Hanse, sonstige Bünde oder auch das Kaufmannsgebaren in einem orientalischen Basar, bezieht sich die Ehre zumeist nur auf den Umgang zwischen einander bekannten Kaufleuten, nicht aber auf die Beziehung zwischen Kaufmann und Kunden, Kaufmann und Lieferanten oder sein Handeln in Bezug auf die ihn umgebende Gesellschaft. Als primäre Quellen des Profits bleiben diese systematisch ausgespart, lebt der Händler doch vom asymmetrischen Wert der Güter – z. B. dem Tausch von Glasperlen in Gold.

Auch CSR der zweiten Generation zielt nicht auf Nachhaltigkeit, wie es der Triple Bottom Line Ansatz fordert. Im Gegenteil, es ist ein taktisches Instrument für den Umgang mit für das Unternehmen relevanten Stakeholdern. Berücksichtigt werden nämlich nur Ansprüche solcher Stakeholder, die aus Sicht des Unternehmens für das eigene Fortkommen entscheidend sind. Ansprüche von Stakeholdern, die keinen Einfluss auf den Fortbestand des Unternehmens haben, werden ignoriert.

Diese taktische Logik prägt auch die CSR-Konzepte der dritten und vierten Generation. Betrachten wir die Einflussname von Unternehmen bei der Ausgestaltung gesellschaftlicher Rahmenbedingungen sowie die Propaganda, dass sie einen Mehrwert für die Gesellschaft schaffen, kann kritisch hinterfragt werden, ob das auch wirklich der Fall ist.

Dies zeigt das Beispiel der vom EU-Parlament auf den Weg gebrachten EU Verordnung (EG) Nr. 1907/2006 (REACH-Verordnung), die das Inverkehrbringen chemischer Substanzen regelt. Im Vorfeld von REACH wurde mit kräftigem Einfluss der multinationalen Chemieunternehmen, wie BASF, Bayer, DuPont, der publikumswirksame Claim für die Vermarktung der Verordnung entwickelt. Er lautete „Verbraucherschutz". Das EU-Parlament verband mit REACH die Vorstellung, dass jede chemische Substanz, mit der Menschen in Berührung kommen, z. B. Nahrungsmittelzusätze, Farben in Kleidung und Gebrauchsgegenständen, Ingredienzen von Reinigungsmitteln, Hygieneartikeln oder Kosmetika, vor Inverkehrbringen einen Unbedenklichkeitsnachweis erhalten muss. Die bei der Ausarbeitung von REACH „trittbrettfahrenden" multinationalen Chemieunternehmen wollten die Komplexität der Thematik dagegen dafür nutzen, REACH als „trojanisches

Pferd" für eine subtile Marktabschottungsstrategie in Stellung zu bringen. Denn die geforderten Unbedenklichkeitsnachweise können nur für Substanzen erstellt werden, die in Reinform synthetisier- und isolierbar sind. Alle natürlichen Substanzen, z. B. solche, die in Biokosmetika zum Einsatz kamen, waren somit nicht mehr REACH-fähig und damit nicht mehr REACH-konform. So setzt sich etwa der Saft der Aloe Vera Pflanze aus über 1000 Spurenelementen und Substanzen zusammen. Als Zutat fällt er deshalb aus dem Raster von REACH, weil nicht 1:1 zuzuordnen ist, welche Spurenelemente und Substanzen welche Wirkungen hervorrufen. Aus Sicht der Bioproduktbranche sollte so mit einem Schlag der aufkeimenden Naturkosmetik- und Nahrungsergänzungsmittelbranche der Boden entzogen werden. Unter dem Mantel des Verbraucherschutzes und der gesellschaftlichen Verantwortung sollte damit gerade die Wirtschaftssparte aus dem Markt gedrängt werden, die Nachhaltigkeit im Kern des Geschäftsmodells verfolgte. Die Topoi von Verbraucherschutz und unternehmerischer Verantwortung dienten somit lediglich einer Marktabschottungsstrategie.

Auch das REACH-Beispiel verdeutlicht: ob ein Unternehmen CSR aus ernsthafter Überzeugung oder nur aus strategischen Überlegungen zu Verschleierung anderer Ziele verfolgt, hängt von einzelnen Unternehmern und Managern ab. Gerade weil das so ist, appelliert CSR an die Vernunft, d. i. an Selbstverpflichtungen, wie beispielsweise des Programms des „Global Compact" und, wenn Selbstverpflichtung nicht fruchtet, an den Gesetzgeber, der durch Regulierungen das Schlimmste verhindern soll.[4] Halten wir fest: mit ihrem Anspruch, Unternehmen und die Wirtschaft für Folgewirkungen auf der Meso- und Makroebene verantwortlich zu machen, verfehlt CSR die Mikroebene unternehmerischer Entscheidungen.

▶   **These 7: Das CSR-Pochen auf Verantwortung verfehlt den Kern unternehmerischen Handelns, weil unternehmerische Verantwortung in der Logik der Ökonomie primär die Verantwortung für das Unternehmen ist, nicht für die Gesellschaft.**

Sollen Unternehmen in ihrer eigenen Logik davon überzeugt werden, dass nachhaltige Unternehmensführung auch Belange zu berücksichtigen hat, die außerhalb der oben skizzierten ökonomischen Logik der Unternehmensführung liegen, muss anders argumentiert werden, als mit Appellen an Ethik und die Vernunft. Gefordert ist eine Nachhaltigkeitsargumentation, die aus der Mikrologik der Unternehmens-

---

[4] „We look to *regulatory policy* to frame the market in a way that is as conducive as possible to life and to society; to make the price signals of the market and their incentives and disincentives on economic agents as harmless to humans and as socially and environmentally compatible as possible." (Ulrich 2013, S. 4)

führung selbst entspringt. Den Ansatzpunkt für eine solche Argumentation und ein daraus ableitbares Strategieverständnis der Nachhaltigkeit finden wir in der Logik und Dynamik der Werte von Unternehmen.

Literatur

Elkington J (1997) Cannibals with forks. The triple bottom line of 21st century business. Capstone, Oxford

Fisk P (2010) People, planet, profit. How to embrace sustainability for innovation and business growth. KoganPage, London

Hemel U, Fritzsche A, Manemann J (Hrsg) (2012) Habituelle Unternehmensethik. Von der Ethik zum Ehtos. Nomos, Baden-Baden

Homann K, Blome-Drees F (1992) Wirtschafts- und Unternehmensethik. UTB Vandenhoeck, Göttingen

Homann K, Lütge C (2005) Einführung in die Wirtschaftsethik, 2. Aufl. LIT, Münster

Kaplan RS, Norton DP (1996) The balanced scorecard: translating strategy into action. Harvard Business Review Press, Boston

Lepenies PH (2013) Die Macht der einen Zahl. Eine politische Geschichte des Bruttoinlandsprodukts. Suhrkamp, Berlin

Luhmann N (1997) Die Gesellschaft der Gesellschaft. Suhrkamp, Frankfurt a. M.

Ulrich P (2013) The normative foundations of entrepreneurial activity. University of St. Gallen, St. Gallen. https://www.alexandria.unisg.ch/publications/225849

Walker T (2013) Der Stakeholderansatz als Fundament der CSR-Kommunikation. In: Heinrich P (Hrsg) CSR und Kommunikation. Springer, Berlin, S 63–75

Walker T, Schmidpeter R (2015) Dictionary of corporate social responsibility, Article „Maturity Model of CSR". In: Idowu SO, Capaldi N, Fifka M, Zu L, Schmidpeter R (Hrsg) Dictionary of corporate social responsibility. Springer, Berlin

Unternehmen sind soziale Systeme. Menschen gründen sie zur Entwicklung komplexer Produkte und Dienstleistungen, die ein Einzelner alleine nicht herstellen kann, beispielsweise Automobile, Fernseher, Mobiltelefone aber auch herzchirurgische Operationen, Flüge zum Mond, die Aufführung von Shakespeares „King Lear" oder von Beethovens fünfter Symphonie. Der Gründungsakt eines Unternehmens entspringt der Notwendigkeit zu kooperieren, um komplexe Not zu wenden, d. i. substanziellen Nutzen zu stiften.

Die grundlegende Wertegebundenheit unternehmerischer Aktivitäten kommt am Selbstverständnis des Nutzens zum Ausdruck, den ein Unternehmen stiften soll. Für wen auf welche Weise ein bestimmter Nutzen gestiftet werden soll, hängt davon ab, welche Werte hinter dem Geschäftsverständnis liegen und den Kern des Geschäftsmodells prägen. Vergegenwärtigen wir uns hierzu nochmals die in Abb. 3.1) dargestellte Logik der Unternehmensziele. In der ökonomischen Logik besteht der primäre Unternehmensnutzen in der shareholderorientierten Erwirtschaftung von Erträgen (Rappaport 1986). Das Ertragsprimat prägt alle strategischen Entscheidungen: anhand der Analyse der maßgeblichen Wettbewerbskräfte (Porter 1996) gilt es, strategisch langfristig zu verteidigende Kernkompetenzen auszubilden (Hamel und Prahalad 1990), die das Unternehmen befähigen, sich mit seinen Produkten und Dienstleistungen so zu differenzieren, dass tragfähige Wettbewerbsvorteile erarbeitet und verteidigt werden können (Porter 1985). Die Ausbildung solcher Wettbewerbsvorteile steht selbst unter der Ertragsperspektive. Wie die obige Analyse gezeigt hat, droht diese selbstbezogene Ertragsfixierung gerade das aus dem Auge zu verlieren, was Ertrag ermöglicht und nicht mit den Kennzahlen des Ertrags gemessen werden kann, – nämlich den Fokus auf die Qualität und Güte der Fremdnutzenstiftung.

Um dieser Falle zu entgehen, bringen Porter und Kramer (2011) das Konzept des „shared value" in die Strategieentwicklung ein. Es erweitert das Ertragspri-

© Springer-Verlag Berlin Heidelberg 2016
F. Glauner, *Zukunftsfähige Geschäftsmodelle und Werte,*
DOI 10.1007/978-3-662-49242-0_5

mat um den Gesichtspunkt des Teilens. In der Fortentwicklung des ertragsfixierten Strategieverständnisses dient der „shared value" Topos als Regulativ einer selbstbezogenen Ertragsfixierung. Mit dem Topos des Teilens repräsentiert der Shared-Value-Ansatz jedoch lediglich eine Variante der CSR-Logik der dritten und vierten Generation, nämlich den Versuch, aus einer Verantwortungslogik der Selbstverpflichtung heraus die ökonomische Logik der Strategieentwicklung aufzuweiten, indem nicht nur Shareholderinteressen, sondern auch Stakeholderinteressen berücksichtigt werden. Die Rede von „shared value", also geteilten Erträgen, unterstreicht dabei die Wirksamkeit der ökonomischen Logik: nämlich die Fixierung auf den Ertrag selbst. Das aber zeigt: die fundamentalen Werte, die das Geschäftsverständnis tragen, werden in der Strategie repliziert. Im Fall der ökonomischen Logik heißt dies: die ökonomische Strategieentwicklung bleibt im Kern selbstbezogen ertragsfixiert. Genau dies führt uns zum zentralen Punkt der Wertegebundenheit von Geschäftsmodellen.

> ► These 8: Die tragenden Werte des Geschäftsverständnisses replizieren sich in der Strategieentwicklung. Sie wirken als sich selbst verstärkende Filter, mit denen die Umwelt wahrgenommen wird. Passen sie zur Wirklichkeit, stärken sie das Unternehmen. Verfehlen sie die Umwelt, zerfällt das System.

Dass und warum sich die tragenden Werte eines Unternehmens in seinen Strategien replizieren, wird deutlich, wenn wir uns der Funktionsweise von Werten in sozialen Systemen zuwenden (Glauner 2013, S. 29 ff.). Werte haben in sozialen Systemen drei Funktionen:

- In der **Identitätsfunktion** bestimmen Werte erstens die „Systemidentität". Sie kennzeichnen, wie das System operiert, wofür es steht und mit welchen Leistungen es sein Überleben absichert.
- In der **Erkenntnisfunktion** filtern die Systemwerte zweitens das Bild, das ein soziales System von sich und seiner Umwelt hat.
- In der **operativen Funktion** reduzieren die Systemwerte drittens die Umweltkomplexität und steigern die Systemeffizienz.

Damit beeinflussen die Systemwerte trichterförmig die Performanz des Systems. In ihrer Filterfunktion prägt die Wertebrille des Unternehmens das Bild seiner Wirklichkeit. Dadurch werden die Probleme selektiert, die von ihm wahrgenommen werden. Dies begrenzt die Anzahl der Lösungen, die es entwickeln kann. Das wiederum beschränkt die Produkte und Leistungen, die es entwickeln wird. Wie dieser Leistungskatalog umgesetzt wird, ist eine Frage der Kultur. Die Unternehmenskultur ist so Klammer und Ausdruck, wie der Wertetrichter gestaltet ist. *Diese rekursiv sich verstärkende Rückkopplungsschleife von Wertebrillen und gelebter Unternehmenskultur repräsentiert den blinden Fleck der Strategieentwicklung.* Denn die Systemwerte bleiben in dieser Rückkopplungsschleife unhinterfragt. Das aber bedeutet: *Strategieentscheidungen und der gesamte Strategieprozess leben aus Werten, die im Strategieprozess ausgeblendet bleiben, weil die Strategie zwischen den langfristig normativen Zielen des Geschäftsmodells und den dahinter liegenden Wertebrillen des Geschäftsverständnisses eingespannt ist* (Abb. 5.1). Als Bindeglied zwischen den langfristigen Zielen und der kurzfristigen operativ-taktischen Umsetzung einzelner Spielzüge repliziert der Strategieprozess die Werteperspektiven des Geschäftsverständnisses und des Geschäftsmodells. Für die Strategieentwicklung heißt dies:

▶ These 9: Die Strategieentwicklung bleibt ihren eigenen Werten gegenüber blind.

In ihrer Werteblindheit wird die Strategieentwicklung zum neuralgischen Punkt der Zukunftsfähigkeit von Unternehmen. Deutlich wird dies, wenn wir uns aus kybernetischer Sicht die Funktion der Werte in sozialen Systemen vergegenwärtigen. Nicht nur sind sie Wirklichkeitsfilter, die trichterförmig die Performanz des Unternehmens bestimmen und festlegen, wie und wohin sich das Unternehmen bewegt. Wichtiger noch ist, die tragenden Systemwerte bestimmen die Richtung, den Grad und die Qualität seiner Lern- und Veränderungsfähigkeit und damit die Grenzen seiner Entwicklungsfähigkeit.[1] Indem sie Handlungspräferenzen determinieren, schaffen sie stabile Handlungsmuster, die, so Heinz von Foerster, „durch den ständigen Fluß ihrer Konstituenten aufrechterhalten werden" (von Foerster 1987, S. 75). Damit legen sie fest, welche Schlussfolgerungen wir aus unseren Beschreibungen der Welt ziehen.[2] Wird diese Wertedeterminiertheit unserer Weltbeschreibungen in der Strategieentwicklung nicht reflektiert, tritt der Strategieprozess in die *„Falle der Selbstreferenz"* (Glauner 2016). Sie besteht darin, dass der Stra-

---

[1] Was Gerhard Roth für das menschliche Gehirn konstatiert, nämlich das Faktum, „dass Erwachsene im Durchschnitt nur noch in geringem Maße in Ihrer Persönlichkeit und Emotionalität veränderbar sind" (Roth 2007, S. 276), gilt auch für komplexe soziale Systeme wie Unternehmen. Auch ihre Veränderungsfähigkeit ist abhängig von der im Unternehmen gelebten Werte-DNA (Glauner 2013, S. 32). Diese bestimmt das Maß, wie stark es sich verändern kann (l.c. S. 44 ff.; sowie Glauner 2015).

[2] „Die Information einer Beschreibung hängt von der Fähigkeit eines Beobachters ab, aus diesen Beschreibungen Schlussfolgerungen abzuleiten" (von Foerster 1972, S. 122).

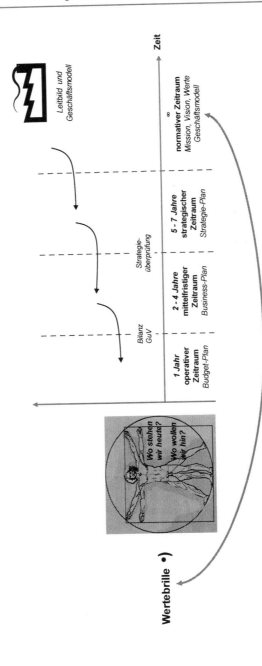

Abb. 5.1 Werteperspektiven der Unternehmensplanung

tegieprozess auf Werten basiert, die sich in der Strategieentwicklung replizieren. Unreflektierte Werte selektieren dabei die Strategieziele, deren Ausformulierungen dazu dienen, diese ursprünglichen Wertevorstellungen zu erfüllen.

Aus systemischer Sicht des Wertetrichters stellen unreflektierte Werte insofern eine Falle dar, als die hinter der Strategie stehenden Werte einen selbstreferentiell geschlossenen Rückkopplungskreislauf in Gang setzen. Dieser ist sich selbst gegenüber „blind" und prägt so das strategische und operative Handeln von Unternehmen. Humberto Maturana beschreibt diesen Sachverhalt mit der Metapher des Instrumentenflugs.[3] Kybernetisch gesehen, sind die Werte eines Unternehmens nach innen wirkende Orientierungsinstrumente, die den Kurs des Unternehmens ohne Bezug zur Außenwelt steuern. Bleiben sie unreflektiert, bleibt das Unternehmen im eigenen Werteraum gefangen. Es operiert dann rein selbstbezüglich, sozusagen im Blindflug. Passen die Werte nicht mehr zur Umwelt, zerschellt das Flugzeug im Nebel am unerkannten Berg der Wirklichkeit.

Soll die neuralgische Rolle und Funktion der Werte in Unternehmen positiv aufgelöst werden, ist die in Kap. 2, Abb. *Das Schnittfeld menschlicher Wertebindungen* dargestellte ökonomische Logik der Strategieentwicklung an entscheidender Stelle aufzubohren. Das Motto „form follows function" (Sullivan 1896) macht dies deutlich. Aus strategischer Sicht der Organisationsentwicklung gilt es, die Form eines Unternehmens so auszurichten, dass es seine Funktion – d. h. seine Nutzenstiftung optimal erfüllen kann. Deshalb gilt auch bei der Unternehmensgestaltung das evolutionäre Prinzip, dass die Funktion, also der Unternehmenszweck, die Form, nämlich die Gestaltung der Ablaufprozesse und der Organisationsstruktur, bestimmt. Genau diese Funktion, d. i. der Nutzen, den ein Unternehmen stiften soll, wird in der Regel von nicht in Frage gestellten Werteperspektiven geprägt. Welchen Nutzen ein Unternehmen stiften soll, wird nämlich in der Strategieformulierung als schon beantwortet vorausgesetzt: ökonomisch definiert ist das die Ertragsstiftung und im CSR-Verständnis ein der Triple Bottom Line verpflichtetes verantwortungsethisches Wirtschaften. Diesem Zweckverständnis folgen kaskadenartig die Ausbildung von Wettbewerbsvorteilen, Kernkompetenzen und Controlling-Instrumenten, mit denen der Weg zur vorgeschriebenen Zielerreichung beschritten werden soll. Mit der Beantwortung der Frage, welchen Zweck ein Unternehmen verfolgt, werden so ökonomische, operative, strategische und organisatorische Festlegungen getroffen, die das Unternehmen als System definieren. Das aber heißt:

---

[3] Im Modus des Instrumentenflugs ist der Pilot „von der Außenwelt abgeschnitten" (Maturana 1976, S. 251; vgl. 1970, S. 51; 1978, S. 105 sowie Maturana und Varela 1975 und Luhmann 1984).

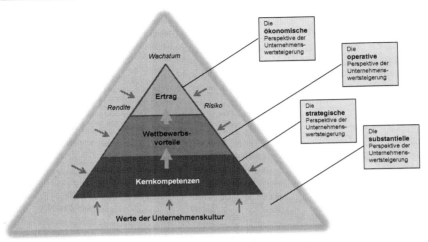

Abb. 5.2 Die ökonomische Perspektive der Unternehmenswertsteigerung

▶   These 10: Unternehmen sind wertedeterminiert. Die im Geschäftsverständnis und Geschäftsmodell zum Ausdruck gebrachten Werte
bestimmen die Funktion des Unternehmens und prägen so seine Form:
Form follows function, function follows values.

Die im Geschäftsmodell zum Ausdruck gebrachte Werteorientierung bildet die
Klammer zwischen der substanziellen und der ökonomischen Perspektive auf den
Geschäftszweck (Abb. 5.2).

Aus dieser Klammerfunktion der Unternehmenswerte kann der Fokus einer zu-
kunftsfähigen Strategieentwicklung abgeleitet werden: sie konzentriert sich in der
Reflexion der tragenden Unternehmenswerte auf die substanzielle Steigerung des
Unternehmenswertes.

Festgemacht an der kritischen Frage „Was passiert im Markt, wenn es Ihr Unternehmen ab heute Mittag nicht mehr gibt?", zielt substanzielle Unternehmenswertsteigerung nicht mehr primär ertragsfixiert auf die Unternehmenswertsteigerung
und auch nicht auf vom Gesetzgeber oder durch Selbstverpflichtung auferlegte
Nachhaltigkeitsziele, sondern auf die Steigerung eines substanziellen Fremdnut-
zens, der der Ertragsschöpfung vorausgeht und so die Zukunftsfähigkeit des Unternehmens erst ermöglicht (Abb. 5.3).

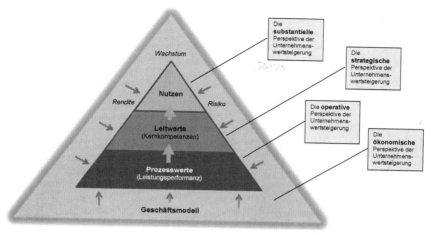

Abb. 5.3 Die substanzielle Perspektive der Unternehmenswertsteigerung

▶ These 11: Zukunftsfähige Strategieentwicklung konzentriert sich auf substanzielle Nutzenstiftungen.

Die Kernfrage zukunftsfähiger Strategieentwicklung lautet deshalb: „Für wen stiftet ein Unternehmen wie welchen substanziellen Nutzen?" Zukunftsfähige Antworten auf diese Frage speisen sich weder aus der verkürzten ökonomischen Logik rein selbstbezüglicher Ertragsziele noch aus einer Triple Bottom Line Betrachtung mit von außen an Unternehmen herangetragenen Nachhaltigkeitsansprüchen, sondern aus der systemischen Verantwortung, das Unternehmen überlebensfähig zu erhalten. Dies gelingt, wenn die Strategieperspektive vom Kopf auf die Füße gestellt wird. Hierbei wird die selbstbezogene Ertragsperspektive durch eine Perspektive ersetzt, die den Fokus auf substanzielle Nutzenstiftung legt und diesen zum primären Unternehmensziel macht.

▶ These 12: Der strategische Weg zu den Wettbewerbsvorteilen von morgen verläuft über substanzielle Nutzenstiftungen und folgt der Logik zukunftsfähiger Unternehmenswerte. Diese gründen in einer werteorientierten Unternehmenskultur.

Wie dieser Weg aussehen kann, wird im Kap. 6 skizziert.

Literatur

von Foerster H (1972) Bemerkungen zu einer Epistemologie des Lebendigen. In: von Foerster H (Hrsg) (1993) Wissen und Gewissen. Versuch einer Brücke, 8. Aufl. Suhrkamp, Frankfurt a. M. (2011), S 116–133

von Foerster H (1987) Kybernetik. In: von Foerster H (Hrsg) (1993) Wissen und Gewissen. Versuch einer Brücke, 8. Aufl. Suhrkamp, Frankfurt a. M., S. 72–76 (2011)

Glauner F (2013) CSR und Wertecockpits. Mess- und Steuerungssysteme der Unternehmenskultur. Springer, Berlin

Glauner F (2015) Dilemmata der Unternehmensethik – von der Unternehmensethik zur Unternehmenskultur. In: Schneider A, Schmidpeter R (Hrsg) Corporate social responsibility, 2 erw. Aufl. Springer, Berlin, S 237–251

Glauner F (2016) Werteorientierte Organisationsentwicklung. In: Schramm B, Schmidpeter R (Hrsg.) CSR und Organisationsentwicklung. Springer, Berlin

Hamel G, Prahalad CK (1990) The core competence of the corporation. (Harvard Business Review May-June 1990) Wiederabdruck in: Breakthrough Ideas. 15 Articles that Define Business Practice Today. (Harvard Business School Publishing) Cambridge. 2000, S 1–12

Luhmann N (1984) Soziale Systeme. Grundriß einer allgemeinen Theorie, 2 Aufl. Suhrkamp, Frankfurt a. M., (1985)

Maturana HR (1970) Biologie der Kognition. In: Maturana H (Hrsg) Erkennen: Die Organisation und Verkörperung von Wirklichkeit. Vieweg, Braunschweig, S 32–80, (1982)

Maturana HR (1976) Biologie der Sprache: die Epistemologie der Realität. In: Maturana H (Hrsg) Erkennen: Die Organisation und Verkörperung von Wirklichkeit. Vieweg, Braunschweig, S 236–271, (1982)

Maturana HR (1978) Kognition. In: Schmidt SJ (Hrsg) Der Diskurs des radikalen Konstruktivismus, 2 Aufl. Suhrkamp, Frankfurt a. M., S. 89–118 (1987, 1988)

Maturana HR, Varela FJ (1975) Autopoietische Systeme: eine Bestimmung der lebendigen Organisation. In: Maturana H (Hrsg) Erkennen: Die Organisation und Verkörperung von Wirklichkeit. Vieweg, Wiesbaden, S 170–235, (1982)

Porter ME (1985) Competitive advantage. Creating and sustaining superior performance, 14 Aufl. Free Press, New York

Porter ME (1996) What is strategy? Harvard Business Review, November–December 1996. (Wiederabdruck in: Breakthrough Ideas. 15 Articles that Define Business Practice Today. Harvard Business School Publishing, Cambridge, S 13–30 (2000))

Porter ME, Kramer MR (2011) Shared value. How to reinvent capitalism – and unleash a wave of innovation and growth. Harv Bus Rev 1:62–77

Rappaport A (1986) Shareholder Value. Wertsteigerung als Mass-Stab für die Unternehmensführung. (Schäffer Poeschel) Stuttgart 1995; Creating shareholder value. The new standard for business performance. The Free Press, New York

Roth G (2007) Persönlichkeit, Entscheidung und Verhalten. Warum es so schwierig ist, sich und andere zu ändern, 2 überarbeitete Aufl. Klett-Cotta, Stuttgart, (2015)

Sullivan L (1896, März) The tall office building artistically considered. Lippincott's Magazine

Die Logik zukunftsfähiger Strategieentwicklung: Ressourcenschöpfung

6

Fassen wir die bisherige Argumentation zusammen. Will man Unternehmen davon überzeugen nachhaltig zu handeln, sind andere Argumente notwendig, als CSR- und Triple Bottom Line orientierte Verantwortungs-Appelle. Auch die aus der Ökonomie heraus entwickelten Argumentationen für ethisch nachhaltiges Wirtschaften greifen zu kurz.[1] Der Grund dafür wurde oben schon genannt. Sie sitzen einem *zweifachen Kategorienfehler* auf. Erstens vermengen sie die systemischen Steuerungsimpulse, nach denen sich Menschen und Unternehmen verhalten. Zweitens verfehlen sie mit ihren Ansprüchen die relevante Handlungsebene, die unternehmerische Handlungen triggern. Für die weitere Argumentation ist es deshalb notwendig, diese Kategorienfehler nochmals eingehender zu analysieren.

6.1 Kategorienfehler der Unternehmensethik

Der Kategorienfehler der Unternehmensethik besteht darin, Unternehmen eine Ethikfähigkeit zuzusprechen, die sie faktisch nicht haben. Denn sie operieren in einem anderen Modus der Selbstbezüglichkeit, als das zumindest teilweise vernunftgesteuerte Wesen „Mensch". Wenden wir uns dem Menschen zu, gründet dessen Ethikfähigkeit in der kognitiven Leistung, sich in moralischen Dilemma-Situationen bewusst gegen eigene angestammte Werte- und Moralvorstellungen zu wenden. Ethische Dilemma-Situationen entstehen, wenn ein Individuum in einer konkreten Situation aufgefordert ist, zwischen verschiedenen moralisch zu recht-

---

[1] Ökonomische Argumente für ethisches Wirtschaften speisen sich aus der Überzeugung, dass nachhaltig verantwortungsvolles Verhalten Transaktionskosten senkt und so Ertragspotenzial hebt, beispielsweise durch durch geringere Folgekosten bei Einhaltung von Sozial- und Umweltstandards oder durch Reputationsgewinne bei der Markenreputation oder dem Employer-Branding (vgl. Gray und Balmer 1998; Hutton et al. 2001).

© Springer-Verlag Berlin Heidelberg 2016
F. Glauner, *Zukunftsfähige Geschäftsmodelle und Werte,*
DOI 10.1007/978-3-662-49242-0_6

fertigenden Handlungsoptionen zu wählen, wobei die jeweils rechtfertigenden Werterahmen einander widersprechen.[2]
    Unabhängig von der Frage, ob es neutrale bzw. nicht zirkuläre Gründe gibt, mit denen ethische Konflikte lösbar wären, verhält sich ethisch, wer sich erstens das Dilemma bewusst macht, in dem er steht, und zweitens wohlüberlegt entscheidet. Ethische Entscheidungen sind deshalb immer Individualentscheidungen. Gesteuert werden solche Entscheidungen vom persönlichen Gewissen. In kritischen Situationen kann es ausdrücklich dazu aufrufen, sich gegen gesellschaftlich akzeptierte, kulturell oder religiös vorgeschriebene oder gar eigene Moral- und Wertevorstellungen zu wenden (Glauner 2014).

> These 13: Ethik ist die Fähigkeit, sich in moralischen Dilemma-Situationen aus guten Gründen gegen gesellschaftlich gerechtfertigte sowie die eigenen, tagtäglich gelebten Moralstandards zu entscheiden.

Die Grundlage für Ethikfähigkeit ist somit kritisch reflexives Selbstbewusstsein, lutherisch gesprochen das „Hier stehe ich und kann nicht anders", welches ein Individuum dazu befähigt, sich bewusst gegen geltende Moral- und Wertevorstellungen zu stellen. Unternehmen fehlt genau dieses „Eigenbewusstsein". Sie sind keine kognitiven Systeme. Als selbstreferentiell geschlossene Systeme operieren sie weder im Modus eines Beobachters (vgl. Maturana 1970, S. 34, 1976, S. 240, 1978, 110 ff.) noch nach Maßgaben von Werten, die außerhalb ihrer systemischen Logik, d. i. der betriebswirtschaftlichen Ratio der Überlebensfähigkeit liegen.

> These 14: Unternehmen sind nicht ethikfähig. Ihnen fehlt das dazu notwendige Selbstbewusstsein. Gleich anderen nichtkognitiven sozialen Systemen richten sie ihr Verhalten ausschließlich an Opportunitätserwägungen aus.

---

[2] Prägnantes Beispiel ist der Entführungsfall von Jakob von Metzler. Um in Erfahrung zu bringen, wo das Kind versteckt war, drohte der stellvertretende Frankfurter Polizeipräsident, Wolfgang Daschner, dem Entführer Markus Gäfgen Folter an, in der vergeblichen Hoffnung, so das Leben des Kindes zu retten. Das Kindeswohl im Blick, entschied sich Wolfgang Daschner mit dieser Drohung gegen seinen Amtseid, jederzeit Recht und Gesetz zu wahren. Als Ausdruck seines Dilemmas und der persönlichen Verantwortung bei seinem Gewissensentscheid fertigte er einen Aktenvermerk an, in welchem er die Fragwürdigkeit seiner Entscheidung benannte und so die Grundlage dafür legte, dass gegen ihn ein Strafverfahren eröffnet werden konnte.

Wie das oben genannte Beispiel der Betriebsverlagerung zeigte, ist diese an Opportunitätserwägungen ausgerichtete Orientierung gerade nicht ethisch qualifizierbar. Denn stellt man ein Unternehmen vor die Alternative, unter Inkaufnahme von Verlusten ethisch verantwortlich zu handeln oder, zwar im Rahmen des Legalen, jedoch auf ethisch verwerfliche Weise, erfolgreich zu sein, wird es, wenn es knapp wird, immer den letzteren Weg beschreiten. Betriebswirtschaftlich orientiert es sich immer an den Steuerungsgrößen von Ertrag, Leistung, Wettbewerb sowie der Maxime der besten Leistung zum günstigsten Preis. Es ist dieser jedem Unternehmen eingeschriebene Steuerungsimpuls, der die Dynamik freisetzt, die dem modernen Wirtschaften innewohnt.

Dieser Steuerungsimpuls erklärt den zweiten Kategorienfehler in der Zuschreibung ethischer Ansprüche an das Unternehmen. Mit ihrem Ruf nach ehrbarem Wirtschaften verfehlen solche Ansprüche allzu oft die eigentliche Handlungsebene, auf der unternehmerisches Verhalten getriggert wird. Kommen wir daher nochmals zum Unternehmenszweck zurück.

Wir hatten festgehalten: Menschen gründen Unternehmen zur Entwicklung komplexer Produkte und Dienstleistungen, die ein Einzelner alleine nicht herstellen kann. Der Zweck des Unternehmens besteht so darin, mit dem Unternehmen einen Nutzen zu stiften, den einer alleine nicht erwirken kann. In dieser Nutzenstiftung verknüpfen sich zwei Adressaten: einerseits Share- und Stakeholder, die das Unternehmen gründen und tragen (in der Regel die Gründer, Kapitalgeber und Mitarbeiter), andererseits die Stakeholder, für die das Unternehmen Nutzen stiftet (in der Regel sind dies die Kunden – d. h. die zentralen Adressaten und Nutznießer des Geschäftsmodells). In der interessenorientierten Geschäftätigkeit werden beide Adressatengruppen so miteinander verknüpft, dass das Unternehmen seinen Zweck erfüllt. Damit zielt unternehmerisches Handeln primär auf die Mikroebene einzelmenschlicher Nutzenerfüllungen. Unternehmen agieren dabei als komplexe Monaden, die ihr Verhalten einerseits an den Menschen ausrichten, mit denen und für die sie aktiv sind, zum anderen an anderen Unternehmen, mit denen sie den Markt teilen. Die Pointe dabei ist, dass sich unternehmerisches Handeln aus der Eigenlogik des Systems ausschließlich an den Wirkungen orientiert, die es auf dieser Mikroebene des Handelns für die internen Stakeholder des Unternehmenszweckes erzielt. *Interne Stakeholder* sind alle Anspruchsgruppen, die berücksichtigt werden müssen, wenn das Unternehmen seine Nutzenfunktion erfüllen soll, – konkret also Eigner, Kapitalgeber, Mitarbeiter, Kunden, Lieferanten, Geschäftspartner sowie auch der Gesetzgeber als relevanter Einflussfaktor für die Geschäftsgestaltung.

Faktisch aber wirkt sich das ausschließlich an internen Stakeholdern orientierte Verhalten nicht nur auf die Entwicklungsdynamik der Mikroebene aus, also die

Marktverhältnisse, in denen das Unternehmen und die von ihm wahrgenommenen Menschen stehen, sondern auch auf den lokalen bis globalen Meso-, Makro- und Supraebenen von Kommunen, Staaten, Gesellschaften und der Natur. Unternehmerisches Verhalten tangiert somit immer auch *externe Stakeholder*, d. h. Interessengruppen, die in den Augen der Unternehmung nicht berücksichtigt werden müssen, weil sie keine Rolle bei der eigenen Leistungserstellung spielen. Insbesondere bei negativen Auswirkungen auf der Mesoebene von Unternehmen und Gesellschaft, der Makroebene von Wirtschaft und Gesellschaft sowie der Supraebene von Unternehmen/Wirtschaft und der Natur wird von solchen externen Stakeholdern der „sollensethisch formulierte" Anspruch erhoben, dass Unternehmen ihr Verhalten auch an diesen Auswirkungen auszurichten haben.[3] Wie bereits gezeigt, orientieren sich Unternehmen jedoch konsequent an der Mikroebene von Menschen, Unternehmen und Märkten. Dabei bevorzugen sie in der gängigen Logik der Strategieentwicklung solche Geschäftsmodelle, die Erträge dadurch generieren, dass Kosten auf die Allgemeinheit übertragen werden, beispielsweise beim Raubbau frei verfügbarer Ressourcen. Gemäß der ökonomischen Logik der Strategieentwicklung bleiben deshalb externe Stakeholder-Ansprüche notwendig als irrelevante Steuerungsgrößen ausgeblendet. Das aber unterstreicht, *CSR Ansprüche gründen nicht in der Logik der Ökonomie, sondern in der Logik der Gesellschaft und damit in der Logik ethisch bewusst handelnder Menschen. Deshalb wird aus Sicht einer menschorientierten Wirtschaftsethik philosophisch argumentiert und auf den Mensch als verantwortlich handelndes Subjekt im Unternehmen verwiesen.*[4] Fakt aber bleibt: als Mensch kann ich mit guten Gründen für eine Ethik verantwortlicher Unternehmensführung argumentieren. Wie aber schon oben festgestellt wurde, bleibt dieser Ruf nach einer umfassenden Verantwortungskultur trotz der vielen

---

[3] Exemplarisch für solche Sollens-Argumentationen sind die von Otto et al. (2007) formulierten Prinzipien für einen moralisch eingehegten Wettbewerb: „Konkurrenz *sollte* die Zerstörung des Gegenübers weder beabsichtigen noch vollziehen.... *sollte* nicht gewaltsam erfolgen, sondern gewaltfrei.... *sollte* nicht aggressiv, sondern – wenn möglich – mit innerer Ruhe durchgeführt werden.... *sollte* nicht entwürdigend geschehen.... *sollte* nicht verdeckt, sondern transparent ablaufen" (l.c. 43; Hervorhebungen FG). Dies intensive Pochen auf das Sollen verdeutlicht, dass Unternehmen in der Realität allzu oft genau das Gegenteil von dem machen, was von den Adepten einer ethischen Unternehmensführung angemahnt wird.

[4] An diesem Punkt überschneiden sich die Argumente von werte- (Hemel 2007, 2013; Leisinger 2014), verantwortungs- (Ulrich 1986, 1997) und governanceorientierten Unternehmensethiken (Wieland 2001, 2002) sowie von tugendethischen Ansätzen eines humanen Managements (Dierksmeier 2011, 2012, 2013; Kimakowitz et al. 2010; Dierksmeier et al. 2011). Selbst eine ökonomische Ethik, die dem Konzept des Homo oeconomicus verpflichtet bleibt, setzt auf Vertrauen und Menschorientierung als Grundlage ökonomischen Handelns (vgl. Suchanek 2001, 186 ff., 2012).

positiven Beispiele einer ernsthaft gelebten ethischen Unternehmensführung der inneren Systemlogik des ökonomischen Unternehmensverständnisses fremd und äußerlich.

Die zentrale Frage lautet deshalb: warum glaubt die Mehrheit aller Unternehmen, dass sie moralisch richtig handeln – d. h. im mentalen Modell der Ökonomie zur Wohlstandsmehrung beitragen –, *obwohl sie zugleich die von außen an sie herangetragene Verantwortungsansprüche der Meso, Makro- und Supraebene als faktisch irrelevant für ihr Handeln erachten.* Das ist das kritische Grundproblem aller CSR- und unternehmensethischen Diskussionen, das es zu knacken gilt. Hierauf geben die heute gängigen Ethikansätze keine Antwort, da sie dem mentalen Modell der Verantwortung verpflichtet bleiben. In ökonomischer Perspektive ist dies die ökonomische Verantwortung gegenüber dem Unternehmen, in gesellschaftlicher Perspektive ist es die unternehmerische Verantwortung gegenüber der Gesellschaft. *Erst eine Antwort auf die Frage, wie aus der ökonomischen Mikrologik heraus die ökonomische Verantwortungsperspektive mit den Ansprüchen der Meso-, Makro- und Supraebenen zur Deckung gebracht werden kann, erschließt den relevanten Hebel für ein verändertes unternehmerisches Verhalten.* Dies aber erfordert andere mentale Modelle sowohl auf Seiten der Ökonomie als auch auf Seiten der Wirtschafts- und Unternehmensethik.

Solange dieser Hebel eines neuen Paradigmas für zukunftsfähiges Wirtschaften nicht durchargumentiert und in der Ökonomie verankert worden ist, bleibt ethisches Wirtschaften immer ein Projekt einzelner, human denkender Menschen, d. h. jenen Early Adopters und Leuchttürmen der Nachhaltigkeit, die aus eigener moralischer Überzeugung ethische Unternehmensführung als Teil ihres wertschöpfenden Kerngeschäftes betrachten.[5]

▶ These 15: Unternehmensethische Verantwortungsappelle greifen nicht, weil die auf die Mikroebene des Handelns fokussierten Steuerungsimpulse der Strategieentwicklung systematisch alle Wirkungen ausblenden, die unternehmerisches Verhalten auf der Ebene externer Stakeholder verursacht.

Die systematische Ausblendung der Wirkungen unternehmerischen Verhaltens auf den Ebenen der externen Stakeholder ist das Resultat eines Strategieverständnisses, das in der ökonomischen Logik der Ertragsfixierung gefangen bleibt. Wenn

---

[5] Beispiele für solche Unternehmer sind in Deutschland Claus Hipp, Karl-Ludwig Schweisfurth, oder Götz Werner und auf internationaler Ebene Ray Anderson, der Gründer von Interface, Douglas Tompkins, der Gründer von The North Face und Esprit oder Jeremy Moon, der Gründer von Icebreaker.

sich Unternehmen diesen Sachverhalt bewusst machen, können sie dieses Manko als *archimedischen Punkt* nutzen, von dem aus Wertestrategien entwickelt werden können, die den Weg zu den Wettbewerbsvorteilen von morgen weisen.

▶   These 16: Das Manko der ökonomischen Logik von Strategieentwick-
     lung ist der archimedische Punkt für Wertestrategien, die die Wege zu
     den Wettbewerbsvorteilen von morgen weisen.

Wie diese Wege aussehen können, sei in groben Strichen vor folgendem Hintergrund skizziert, der den Kern zukunftsfähiger Strategieentwicklung umfasst.

6.2 Strategien der Exzellenz: Bewusstseinsführung

Wie soeben argumentiert wurde, benötigt eine zukunftsfähige Strategieentwicklung ein anderes Verständnis von den zentralen Treibern, die eine zukünftig tragfähige Wertschöpfung ermöglichen. Dieses Verständnis erschließt sich, wenn wir die eingangs beschriebenen Entwicklungen und Wandlungsprozesse analysieren und aus ihren Konsequenzen die zentralen Herausforderungen ableiten, vor denen Unternehmen heute stehen.

6.2.1 Wege zu den Wettbewerbsvorteilen von morgen: Überflussmärkte und Verantwortungsmärkte

Unternehmen stehen heute im Sog diverser Megatrends, darunter den vier folgenden: erstens der Beschleunigung aller Prozesse, zweitens der Entgrenzung angestammter Märkte und Dienstleistungen, drittens dem Wegfall bestehender Geschäftsfelder und Geschäftsmodelle sowie viertens dem Verlust von Alleinstellungsmerkmalen (Glauner 2015a). Wie McKinsey in einer Studie vom September 2014 hervorhebt, sind diese Trends technologiegetrieben. Indem sie zu einer immer weiter um sich greifenden Vernetzung aller Bereiche der Wirtschaft führen, verändern sie auch solche Unternehmen und Märkte, die nicht technologiegetrieben sind. „Technology and connectivity have disrupted industries and transformed the lives of billions. … In the years ahead, acceleration in the scope, scale, and economic impact of technology will usher in a new age of artificial intelligence, consumer gadgetry, instant communication, and boundless information while shaking up business in unimaginable ways" (Dobbs et al. 2014, S. 1).

Treten wir angesichts dieses Tableaus der radikalen Transformation aller Märkte einen Schritt zurück, kommt das zentrale *Paradoxon moderner Unternehmensführung* in den Blick (Glauner 2015c). Es besteht darin, dass Unternehmen angesichts dieser Transformations- und Entgrenzungsprozesse zwei gegensätzliche Fähigkeiten ausbilden müssen, wenn sie im Markt weiterhin bestehen wollen. Einerseits müssen sie in all ihren Facetten immer flexibler und wandlungsfähiger werden, zugleich müssen sie in ihrem Leistungsspektrum unverwechselbar bleiben.

▶ These 17: Zukunftsfähige Strategieentwicklung zeigt Lösungswege auf, wie Unternehmen in ihren Formen, Funktionen und Geschäftsmodellen immer flexibler und darin zugleich unverwechselbar werden.

Die Aufgabe zukunftsfähiger Strategieentwicklung, das Unternehmen zugleich flexibel und unverwechselbar auszurichten, weist den Weg zu den Wettbewerbsvorteilen von morgen. Er besteht darin, eine Unternehmenskultur auszubilden, mit der zugleich Flexibilitätspotenziale gehoben und Potenziale einer substanziellen Unverwechselbarkeit entwickelt werden können. Beim Aufbau solcher Unternehmenskulturen geht es weder primär um den Aufbau tragfähigen Sozialkapitals (vgl. Dahrendorf 1995; Dasgupta und Serageldin 2000; Ostrom 2000; Sennett 2007; Habisch und Schwarz 2012; Badura et al. 2013) noch um die Steigerung von Loyalität und Mitarbeiterengagement, oder darum, eine von der Generation Y eingeforderte „Sinnhaftigkeit" zu entwickeln[6], mit der deren Leistungsfähigkeit aktiviert werden kann. Im Gegenteil. Es geht beim Aufbau solcher Unternehmenskulturen im Kern um die Fähigkeit, dass das Unternehmen für sich die zentrale Zukunftsressource erschließt, die auf die Märkte der Zukunft einzahlt: d. i. die *Ressource „Bewusstsein"*.

---

[6] „Millennials overwhelmingly believe that business needs a reset in terms of paying as much attention to people and purpose as it does products and profit. Seventy-five percent of Millennials believe businesses are too fixated on their own agendas and not focused enough on helping to improve society" (Deloitte Millenium Survey 2015, Executive Review, S. 1). Auf der deutschen Internetseite zur Studie führt Deloitte dazu aus: "Soziales Engagement wird wichtig: Die Mehrheit (Deutschland 62%, weltweit 75%) kritisiert das profitgetriebene Wirtschaften von Unternehmen. Deren gesellschaftliche Wichtigkeit wird hoch eingeschätzt – 43% der Deutschen denken, dass Unternehmen soziale Themen stärker beeinflussen als die Regierung. Das Verhalten von Firmen bewertet ein Großteil (Deutschland 39%, weltweit 53%) sogar als ethisches Statement und fordert von Führungskräften Mithilfe bei der Verbesserung der Gesellschaft." (http://www2.deloitte.com/de/de/pages/innovation/contents/millennial-survey-2015.html).

> ▶ These 18: Zukunftsfähige Strategieentwicklung zielt auf die Steige-
> rung von „Bewusstseinskapital". Sie gründet in Kulturstrategien der
> „Bewusstseinsschöpfung" zur Erschließung der „Bewusstseinsmärkte"
> von morgen.

Die zentrale Rolle von Bewusstseinsschöpfungsstrategien bei der Entwicklung von „Bewusstseinskapital" wird deutlich, wenn wir uns aus Sicht der heutigen Technologietreiber der langzeitzyklischen Marktentwicklung zuwenden (Abb. 6.1).

Metaperspektivisch entfalten sich die sogenannten Kondratjew-Zyklen als Prozess einer kontinuierlichen Entgrenzung, Beschleunigung und Verflüssigung. Er kulminiert heute in den Bereichen der Life Sciences sowie in wissensbasierten Systemen und Technologien, z. B. Mensch-Maschine-Systemen, künstlicher Intelligenz sowie intelligenter Systeme in den Bereichen Robotik, Logistik, Datenverarbeitung und Datamining.

Wie Kohle, Stahl und später Öl die Basisressourcen für die Schlüsseltechnologien des zweiten und vierten Kondratjew waren, so stellt das Bewusstsein heute die Basisressource für die Schlüsseltechnologien des sechsten Kondratjew dar, d. i. für Geschäftsmodelle in den Gesundheits-, Wissens- und Kreativmärkten. Als Ressource und Medium dieser Märkte ist dieses „Bewusstsein" der eigentliche Treiber für die oben genannten Megatrends und damit auch für die Umwälzung nicht wissensbasierter Märkte.

„Bewusstsein" als Basisressource der Märkte von morgen wirkt sowohl auf der Anbieterseite als auch auf der Konsumentenseite als Innovationstreiber. Dies ist dem Umstand geschuldet, dass Unternehmen auch zukünftig ihre Geschäftsmodelle auf hart umkämpfte Märkte ausrichten müssen, bei denen es gilt, im globalen Wettbewerb Produkte zu verkaufen, die der Art und Zahl nach oft austauschbar sind. Bewusstsein spielt in diesem Zusammenhang eine janusköpfige Rolle:

Für Unternehmen, die in der Logik entgrenzter Märkte gefangen bleiben, ist Bewusstsein dasjenige Vehikel, mit dem Sinnstiftungsfunktionen, wie Versprechen von Authentizität, Glück oder Unverwechselbarkeit operationalisiert und in emotional inszenierten Markenräumen für den Markt verdichtet werden. Diese emotionalen Inszenierungen von Sinn dienen dazu, beim übersättigten Kunden Anreize und Begehrlichkeiten zu triggern, die den Konsum anregen.

Für Unternehmen, die sich dagegen auf die Notwendigkeiten der Märkte von morgen einlassen, ist Bewusstsein mehr als nur Vehikel für die konsumrauschgetriebene Inszenierung von Sinn. Bewusstsein ist in diesen Märkten der Motor und das Medium zur Entwicklung völlig neuer Geschäftsmodelle, die auf die Leitthemen der Zukunft einzahlen. Damit ist solches Bewusstsein abzugrenzen vom Wissensbegriff der Wissensgesellschaft. Denn die Wissensmärkte der Wissens-

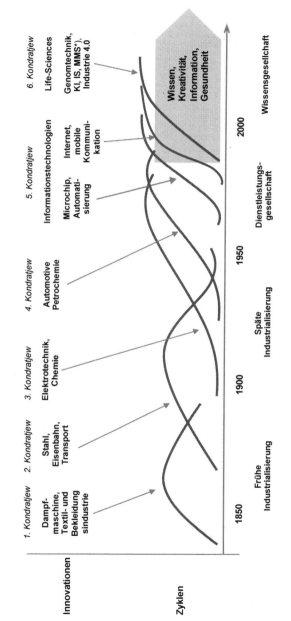

Abb. 6.1 Technologietreiber der Zukunft

gesellschaft bleiben, wie die Beispiele Life Sciences oder Informationstechnologie sowie das Big Data Mining von Google und Co. zeigen, zumindest bisher der ökonomischen Logik der Strategieentwicklung verhaftet. Der hier eingeführte Begriff des Bewusstseins transformiert diese Logik. Deshalb geht er ausdrücklich über den ökonomisch operationalisierten Begriff des Wissenskapitals hinaus. Er gründet in der Erkenntnis, dass mit der heute noch geltenden Logik der Ökonomie auch das Wissenskapital qualitativ transformiert werden muss, wenn Wissen für zukunftsfähige Geschäftsmodelle wirksam werden soll. Hierzu ist das Bewusstseinskonzept in eine umfassende *Bewusstseinsökonomie* einzubetten, mit der die Verantwortungsmärkte der Zukunft gestaltet werden.

Bewusstseinsökonomie

Der Schritt von der Wissens- zur Bewusstseinsökonomie erschließt sich, wenn wir die Treiber des 6. Kontratjew – d. i. das Potenzial des Wissenskapitals und der Wissensmärkte – zur sich aufschaukelnden Dynamik von Konzentration und Ressourcenraubbau in Beziehung setzen, wie sie im Einschub „*Mentale Modelle: Die Ökonomisierung der Lebenswelt*" skizziert wurde. Dabei beschleunigt die Technologiegetriebenheit der Wissensmärkte nicht nur die dort beschriebene Konzentrations- und Ressourcenraubbauspirale, sondern auch die im Einschub „*Fürstentümer und Königreiche*" beschriebene Ausbildung zweier Hemisphären der Weltbevölkerung: erstens die Hemisphäre jener Wissenseliten, die die Produkte und Dienstleistungen der Wissensmärkte entwickeln, vorhalten und vermarkten; zweitens die Hemisphäre all jener, die letztlich nur noch als Konsumenten benötigt werden, ohne am Wertschöpfungsprozess teilzuhaben. Die tragikomische Pointe in dieser Spaltung besteht darin, dass diese vom Wertschöpfungsprozess weitestgehend ausgeschlossenen Konsumenten ihren Konsum mit ihren persönlichen Lebensdaten bezahlen, und so das Auseinanderklaffen von Wissen und Konsum zementieren. Gefiltert durch Big-Data-Anwendungen werden die Kunden zu melkbaren Informationsressourcen, da ihr in allen Facetten kontrollierbares Verhalten von den Content- und Plattform-Anbietern dazu genutzt wird, noch passgenauere Angebote zu entwickeln. Die ökonomische Logik der Wissensmärkte führt damit zur mentalen Selbstenteignung breiter Schichten, da das Wissen über die eigenen Wünsche, Ziele und Möglichkeiten durch eine *Wirklichkeitskulisse* gefiltert wird, die von den Content-Anbietern aufbereitet wird. Gleich der Filmkulisse im Film „The Truman Show" hat diese Inszenierung von Wirklichkeit zwei Funktionen. Sie lenkt die Handlungen der Protagonisten, im Film Truman Burbank (Jim Carrey), gemäß den geheimen Regieanweisungen des Regisseurs und Entwicklers der Truman Show, im Film Christof (Ed Harris) so, dass das als Realität inszenierte und im Fernsehen übertragene Leben von Truman selbst zu einem vermarktbaren Produkt wird. Als Wirklichkeitskulisse zweiter Ordnung dient es dazu, die Zuschauer der Truman Show zu bespielen. Die Wissensökonomie führt so zumindest teilweise in Märkte, in denen Sinnsurrogate, Wirklichkeitskulissen und Produkte vermarktet werden, die faktisch keinen anderen Mehrwert und Nutzen haben außer dem, den Konsumenten davon zu überzeugen, dass er sie unbedingt braucht.

Geschäftsmodelle der Bewusstseinsökonomie setzen dagegen auf substanzielle Nutzenstiftungen, die die Kunden weder entmündigen noch mental selbstenteignen, sondern in ihren individuellen Möglichkeiten befähigen. Das Prinzip der Bewusstseinsökonomie ist deshalb die aktive Gestaltung von Teilhabe als Grundlage einer umfassenderen multidimensionalen Wertschöpfung. Ein Beispiel für solche Geschäftsmodelle ist das von der **HILTI AG** ins Leben gerufene Kooperationsprojekt „Baustoffe der Zukunft". Gemeinsam mit den beiden Organisationen Homeless People's Federation Philippines (HPFPI) und der United Nations Economic and Social Commission for Asia and the Pacific (UN ESCAP) entwickelte HILTI im Rahmen dieses Projektes ein Haus, das aus ökologischen Baustoffen (Bambus und Erd-Zement-Ziegeln) gebaut ist, Wind und Wetter standhält und das sich jeder leisten kann. Ein zweites Beispiel ist das international aufgestellte Hamburger Unternehmen **Dialogue Social Enterprise GmbH.** Das Unternehmen arbeitet mit behinderten Menschen, um die Wahrnehmung seitens nichtbehinderter Menschen zu erweitern. Hierbei wird die Behinderung als Befähigung erfahrbar gemacht. So werden beispielsweise im Projekt „Dialogue in the Dark" Besucher in einem stockdunklen Restaurant von Blinden bedient, die die Besucher bewirten. Beim Verzehr des Menüs werden so die Rollen getauscht und dadurch neue Erfahrungsräume für beide eröffnet. Beide Projekte zeigen, dass befähigungsorientierte Geschäftsmodelle auch ökonomisch tragfähige Geschäftsmodelle sein können, die multidimensionalen Nutzen, Mehrwert und Ertrag schöpfen.

Auf den Punkt gebrachte liegt der Unterschied zwischen der Wissens- und Bewusstseinsökonomie darin, dass erstere mit all ihren Konsequenzen die avancierteste und radikalste Zuspitzung des mentalen Modells der neo-klassischen Ökonomie darstellt, während das Konzept der Bewusstseinsökonomie dieses neo-klassische Modell aus der Mikrologik zukunftsfähiger Unternehmensführung heraus aufbricht und transformiert. Hierbei ist hervorzuheben, dass der Übergang zwischen beiden Formen ein breites Schnittfeld bildet. Deutlich wird dies insbesondere bei den Life-Sciences. Ob ein Geschäftsmodell im Bereich der Life-Sciences eher zum Bereich der Wissensökonomie gehört und die negative Spirale von Konzentration und Ressourcenraubbau antreibt oder im Sinn der Bewusstseinsökonomie zu einer breiten Befähigung beiträgt, die multidimensionale Wertschöpfungen ermöglicht, lässt sich an der substanziellen Nutzenstiftungsfunktion ablesen, die dem Geschäftsmodell zugrunde liegt. Als Beispiel kann das Geschäftsmodell des in Aachen ansässigen Start-ups **Psyware GmbH** dienen.

Psyware hat sich auf eine automatisierte Sprachanalyse spezialisiert, mit der in den Bereichen Personalwesen, Gesundheitsvorsorge & Prävention sowie Kundenkommunikation und Vertrieb aus einer 15 minütigen telefonischen Sprachaufzeichnung von Probanden ein Psychoprofil erstellt werden kann. Das dazu verwendete Programm PRECIRE wurde von einem Team aus Psychologen, Mathematikern, Linguisten, Informatikern und Betriebswirten entwickelt und fußt auf Erkenntnissen der akustischen Analyse von Sprachsignalen sowie der formal-quantitativen Textanalyse, einem medizinischen, soziologischen und psychologischen Forschungszweig insbesondere in den USA. PRECIRE ist ein automatisch lernendes KI-System, welches sich selbst kalibriert, indem es individuelle Psychoprofile von Probanden mit dem Samplepool aller zuvor ermittelten Profile abgleicht und so für einzelne Profile immer genauere Aussagen zur Korrelation von Sprachprofil, persönlichen Einstellungen und Verhaltensdispositionen treffen kann. Kunden von Psyware sind große Unternehmen, die beispielsweise durch telefonische Aufzeichnung von Kunden- und Bewerbergespräche schnell und effizient eine Vorauswahl treffen können, ob ein Bewerber in die engere Wahl kommen soll und zu einem persönlichen Gespräch oder Assessment-Center eingeladen wird oder nicht bzw. ob auf eine Reklamation des Kunden sofort zu reagieren ist oder die Bearbeitung der Beschwerde nach hinten verschoben werden kann. Sieht man das Programm und Geschäftsmodell von Psyware, können vier grundsätzliche Fragen aufgeworfen werden:

1. Wer ist der Auftraggeber und wer der Nutznießer dieses Programms?
2. Wem gehören die Daten und Profile?
3. Wie und wozu werden die Profile genutzt?
4. Was bewirkt das Programm?

Geht man auf die Homepage von Psyware, lassen sich die Fragen wie folgt beantworten:

Ad 1) Auftraggeber und Nutznießer von Psyware sind Unternehmen, die mit PRECIRE ein schnelles kostengünstiges Screening von Bewerbern, Kunden, Mitarbeitern oder auch Patienten durchführen wollen.

Ad 2) Auf Grundlage von Big Data Screening-Verfahren werden die Profile für Vorhersagen genutzt, welche Einstellungen geprüfte Personen haben und wie sie sich verhalten werden.

Ad 3) Wem die Daten und Profile gehören, ist nicht eindeutig zu sagen. Wohl einerseits den Auftraggebern, zugleich aber auch Psyware, da sich das lernende Programm immer weiter kalibriert und so zu immer stärker validierten Psychoprofilen führt, die das Programm Zug um Zug mächtiger werden lassen.

Ad 4) Damit aber trägt das Programm zu einer Entwicklung bei, die in den Einschüben „*Mentale Modelle: Die Ökonomisierung der Lebenswelt*" und „*Fürstentümer und Königreiche*" skizziert wurde.

Zusammengefasst heißt dies: Psyware schreibt mit der Programmentwicklung von PRECIRE das Modell der Wissensökonomie fort, indem es die Probanden mit den Augen seiner Kunden betrachtet, nämlich faktisch als Mittel für rein selbstbezogene Zwecke der ökonomischen Ertragssteigerung. Ganz dem ökonomischen Modell der Wissensökonomie verpflichtet, strebt Psyware so schon im zweiten Satz seiner Homepage vollmundig „nach der Marktführerschaft im Bereich automatisierter Sprachanalyse zu psychologischen Zwecken" (http://www.psyware.de/de/home).

Die Wissens- und Bewusstseinsökonomie unterscheiden sich darin, dass sich in ersterer die Nutzenstiftung von Geschäftsmodellen auf selbstbezogene Ertragsstiftungen konzentriert. In der Bewusstseinsökonomie konzentrieren sich ökonomische Geschäftsmodelle dagegen auf multidimensionale Wertschöpfungen einer teilhabenden Befähigung, die, wie beispielsweise das Gallup-Strengthfinder-Modell (Buckingham und Clifton 2001), Probanden in die Lage versetzen, sich selbst aktiv weiter zu entwickeln. Während die Metaaussage des Geschäftsmodells von Psyware darin gründet, dass wir uns mit unserer Sprache selbst verraten (Hummel 2015), macht die Metaaussage des Strengthfinder-Modells klar, dass wir uns selbst befähigen können. In dieser metatextlichen Zuordnung der substanziellen Nutzenstiftung steht Psyware mit seinem Geschäftsmodell auf der Seite der Wissensökonomie, indem es die Spirale von Konzentration und Ressourcenraubbau voran treiben hilft, während Gallup mit seinem Modell auf der Seite bewusstseinsökonomischer Geschäftsmodelle steht, die auf den multidimensional wertschöpfenden Aufbau von Befähigungs- und Nutzenpotenzialen abzielen.

Damit sind die hier entfalteten Begriffe des Bewusstseinskapitals und der Bewusstseinsökonomie nicht nur gegen die heutigen Formen des Wissenskapitals und der Wissensökonomie abzugrenzen, sondern auch klar gegen die teils esoterisch anmutenden Fiktionen des Transhumanismus (Huxley 1957; FM-2030 1989; Bostrom 2005; More 2013). Diese unterstellen, dass sich der Mensch durch technologische Hilfsmittel wie Prothesen, neuronale Implantate und andere technische Applikationen zu einem Cyborg wandeln kann, also zu einer lebenden Mensch-Maschine (Hughes 2004), bzw. dass die Weiterentwicklung der Informationstechnologie zu einer technologischen Singularität führt, in der die künstliche Intelligenz der Maschinen und Computer sich verselbstständigt und die nächste Stufe der Evolution des Bewusstseins erklimmt. "Within thirty years, we will have the technological means to create superhuman intelligence. Shortly after, the human era will be ended" (Vinge 1993, S. 1). Neben den vielfältigen ethischen und politischen Fragen, die solche Visionen aufwerfen (Savulescu und Bostrom 2009), kann ihnen aus Sicht der hier entfalteten Bewusstseinsökonomie der Vorwurf gemacht werden, dass auch sie das mentale Modell der heutigen Wettbewerbslogik fortschreiben. Denn die vom Transhumanismus verzeichnete menschliche Unzulänglichkeit und die daraus resultierende „Prometheische Scham" darüber, dass wir nicht so gut und so haltbar sind wie unsere technischen Produkte (Anders 1956), wird als Folie dafür genutzt, die heutigen Formen des Menschseins als ungenügend zu kennzeichnen. Sie zu verbessern bedeutet für Transhumanisten, sich auf die Technik als Heilmittel zu konzentrieren, um im Geist der Ökonomie eine radikalisierte Selbstoptimierung zu betreiben, die den mentalen Konzepten von Wettbewerb, Knappheit, Effizienz und Effektivität verschrieben ist. Damit aber treiben sie die oben beschriebene technologische Beschleunigungsspirale weiter an, mit der Konsequenz, dass auch die Abreicherung der natürlichen und humanen Ressourcen vorangetrieben wird. Während die Wissensökonomie die mentale Selbstenteignung breiter Konsumentenschichten vorantreibt und den Mensch zu einer melkbaren Informationsressource verkommen lässt, die sich selbst zum Konsumprodukt wird und während der Transhumanismus dafür plädiert, das Menschliche insgesamt hinter sich zu lassen und in die Ära des Posthumanismus voranzuschreiten (Ferrando 2013), begreift das hier skizzierte Modell der Bewusstseinsökonomie, dass die menschgemachten Probleme unserer Wirtschaftsweisen nur durch uns selbst verändert werden können. Dies erfordert die Schöpfung von Bewusstseinsressourcen, so dass erneut deutlich wird, dass Bewusstsein das zentrale Kapital der Zukunft werden wird.

Das Potenzial der Aktivierung von Bewusstseinsressourcen wird gespiegelt, wenn wir uns von den Technologietreibern abwenden und aus Kundensicht die Marktentwicklung betrachten (Abb. 6.2).

Waren die Märkte bis in die 1960er-Jahre hinein Anbietermärkte, drehten sich diese mit der ersten Sättigung und der Ölkrise in den 1970er-Jahren. In den 1990er-Jahren wurde der Markt zu einem reinen Nachfragemarkt. Heute haben sich auch diese Märkte nochmals radikal gewandelt. Knappheit besteht nicht mehr auf Seiten der Angebote, sondern ausschließlich auf Seiten des Konsumenten. Ihm fehlen oft schlicht die Zeit und das Geld für angestrebten Konsum. Aber selbst wenn er genug davon hätte, könnte er die überbordende Angebotsfülle nicht mehr wahrnehmen und bewerten. Wie die täglich wachsende Zahl von Internetvergleichsportalen zeigt, ist die Konsumwelt von einer Angebotsfülle geprägt, die der Verbraucher nicht mehr wahrnehmen und bewerten kann.

Für eine zukunftsfähige Strategieentwicklung hat das Konsequenzen. Denn die Entwicklung von im Grunde austauschbaren Produkten und Dienstleistungen kommt ebenso an ihre Grenzen wie sinn- und funktionsentleerte Innovationen. Ob ein Rasierapparat drei oder fünf Klingen hat, ist im Grunde irrelevant. Und wenn der Hersteller noch zwei hinzufügt und das Ergebnis als ultimative Next Generation Rasur auslobt, so bietet das neue Produkt doch keinen Mehrwert. Die Herausforderung einer zukunftsfähigen Strategieentwicklung lautet somit:

▶   These 19: Zukunftsfähige Strategien entwickeln tragfähige Geschäfts-
      modelle für Überflussmärkte.

Der Generika-Markt zeigt: Hexal, Ratiopharm, Stada und Co. verkaufen über dieselben Absatzkanäle an dieselben Kunden und Endkunden die gleichen Produkte und Wirkstoffe. Bietet nur einer seine Produkte zu veränderten Konditionen an, ziehen die anderen innerhalb von Stunden die anderen nach. Erfolgreich ist in diesem Markt nur noch „hard selling", d. h. der persönliche Kontakt zwischen Vertriebsmitarbeitern und Endkundenabsatzmittlern, also dem Arzt oder Apotheker vor Ort. Den Unterschied macht der Faktor „Beziehung". Was zählt, ist allein der Mensch.

	1950	1975	1990	2005	2020
Rahmen-bedingungen	Knappheitsmarkt *(Verkäufermarkt)*	gesättigter Markt *(Ölkrise, 1. Welle der Arbeitslosigkeit)*	Nachfragemarkt *(Konsumentenmarkt)*	Überflußmarkt *(Konsumentenmarkt)*	Verantwortungsmarkt *(Konsumentenmarkt)*
Marktperspektive	angebotsorientiert	produktorientiert	nachfrageorientiert	kundenorientiert	nutzenorientiert
Strategie / Ziele *)	Produktion mit Kostenfokus	Design / Kosten / Qualität / Zeit	Segmentierung *neue Produktsegmente*	Customizing *individuelle Massenfertigung*	Vernetzung *Mehrwertketten*
Nutzenfokus	Versorgungssicherheit	Produktdifferen-zierungspotential	Innovationspotential *(=> Bedürfnissimmovationen)*	Konsumerlebnispotential *(=> Event, Story)*	Nachhaltigkeitspotential *(=> Sinn, Nutzen)*
Organisation	tayloristisch *(Arbeitsteilung Arbeitshierarchien)*	spartenorientiert *(Differenzierung Abteilungen und Hierarchien)*	matrixorientiert *(Differenzierung Funktionen und Segmente)*	kundenzentriert *(bottom up kundenorientiert)*	netzwerkorientiert *(flexibel, multidimensional vernetzt)*
Führung	hierarchisch *(Befehl und Kontrolle)*	top-down vernetzt	top-down / bottom-up vernetzt	bottom-up *(teamorientiert, Führungskraft als Coach)*	integriert verschränkt *(netzwerkorientiert, Führungskraft als Mittler)*
Kommunikation	frontal, top-down	top-down vernetzt	funktions- und spartenvernetzt	bottom-up vernetzt	individuell mehrdimensional
Markenversprechen	Preis, Qualität	Differenzierung	Spezialisierung	Individualisierung	Mehrwert

*) zentrale Probleme der Kunden erkennen und sichtbar besser lösen

Abb. 6.2 Märkte im Wandel

▶ These 20: Zukunftsfähige Strategien konzentrieren sich auf den Aufbau vertrauensvoller Beziehungskulturen.

Der Aufbau vertrauensvoller Beziehungskulturen gründet in der Fähigkeit, durch substanzielle Nutzenstiftungen die oben genannten internen Stakeholder, d. h. Eigner, Kapitalgeber, Mitarbeiter und Kunden so zu verknüpfen, dass positive Feedback-Schlaufen einer substanziellen Mehrwertstiftung entstehen. Dies erfordert nach innen und außen Umgangsformen, die die Dimensionen einer menschorientierten Bewusstseinsbildung mit den Dimensionen tragfähiger Geschäftsmodelle für Überflussmärkte verbindet.

6.2.2 Weltethos als Modus operandi zukunftsfähiger Strategieentwicklung: Human Systems Development für Hochleistungsteams

Zur Entwicklung und Verankerung solcher mehrwertstiftender Umgangsformen in Unternehmen bietet sich ein Konzept an, dass bisher weitgehend unter dem Radar der heutigen CSR-, Strategie- und Ethikkonzepte fliegt. Es ist das Konzept des Weltethos,[7] das in einem Set von Regeln und Wertehaltungen gründet, die allen Kulturen und Weltreligionen gemeinsam sind. Ihr abstrakter Kanon besteht aus zwei Prinzipien und vier Grunddimensionen des menschlichen Handelns. Das Prinzip der Humanität beinhaltet, dass jeder Mensch eine unveräußerliche und unantastbare Würde besitzt und deshalb menschlich behandelt werden soll. Das zweite Prinzip ist die Goldene Regel, d. h. der kategorische Imperativ, dass der Mensch „nur nach derjenigen Maxime [handeln solle], durch die du zugleich wollen kannst, daß sie ein allgemeines Gesetz werde" (Kant 1785, S. 51). Umgangssprachlich besagt sie: „Was du nicht willst, das man dir tut, das füg' auch keinem anderen zu". Diese beiden Grundprinzipien eines humanen Miteinanders werden durch vier Grunddimensionen des Weltethos qualifiziert: erstens durch die Werte Gewaltlosigkeit und Achtung vor dem Leben, zweitens durch die Werte Gerechtigkeit und Solidarität, drittens durch die Werte Wahrhaftigkeit und Toleranz sowie viertens durch die Werte gegenseitige Achtung und Partnerschaft.

---

[7] Vgl. Küng 2012.

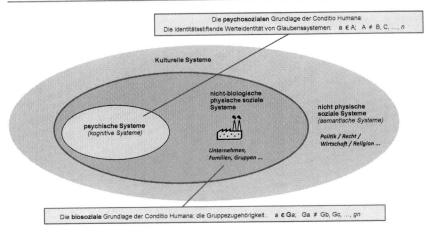

Abb. 6.3   Die biopsychosoziale Conditio Humana

Biologisch gesehen lebt der einzelne Mensch (a) in kleinräumig organisierten Gruppenzugehörigkeiten (Ga, Gb,…) und *psychologisch* gesehen in und aus großräumigen Glaubenssystemen (A, B,…). Konflikte tauchen in dieser biopsychosozialen Bedingtheit des Menschseins dort auf, wo der Einzelne mit seiner Gruppe (a ⫇ GA) oder Gruppen mit unterschiedlichen Glaubenssystemen (A ⫇ B) in Konflikt geraten.

Dieser Basiskanon eines menschlichen Miteinanders entstand aus einer anthropologisch kulturübergreifenden Coping-Strategie im Umgang mit Konflikten. Sie entstehen, wenn substanzielle Differenzen zwischen rivalisierenden Werten eines Individuum und seiner Umgebung bzw. zwischen rivalisierenden Gruppen auftreten. Solche Wertedifferenzen werden durch die biopsychosoziale Natur des Menschseins hervorgerufen, d. i. dem Faktum, dass wir gruppen- und glaubensgeprägte Wesen sind (vgl. Abb. 6.3). *Biologisch* leben wir zunächst in und aus kleinräumig organisierten Gruppenzugehörigkeiten, z. B. der Familie, der Peer Group, dem Clan, dem Stamm, der Abteilung, dem Unternehmen, dem Verein, der Mannschaft… Diese Gruppenzugehörigkeit, etwa die Mitarbeiterzugehörigkeit zu Daimler-Benz, Audi oder BMW, prägt die biosoziale Identität des Individuums. *Psychologisch* lebt der Mensch zugleich in und aus großräumigen Glaubenssystemen. Diese Glaubenssysteme sind übergeordnete Sinnsysteme, z. B. religiöse, politische oder auch kulturelle Überzeugungen und Weltbilder, oder, auf Unternehmen gemünzt, Markenräume mit einer hohen Strahl- und Bindekraft. Sie transzendieren den Einzelnen in einen übergeordneten Sinnzusammenhang, der als existenzielle Wertebindung empfunden wird, aus der heraus der Mensch lebt.

Dieser Sinnzusammenhang definiert nicht nur die Rolle, die der Einzelne innerhalb seiner sozialen Systeme übernimmt, er prägt zudem auch das individuelle Welt- und Selbstverständnis, aus dem heraus er oder sie leben und handeln. Als soziales Wesen lebt jeder Mensch in räumlich und zeitlich definierten Gruppenzugehörigkeiten und Glaubenssystemen, aus denen heraus er seine grundlegenden Bestrebungen sowie sein Welt- und Selbstverständnis entwickelt. Um zu vermeiden, dass gegenläufige Bestrebungen in eine Konfliktspirale führen, die darauf hinausläuft, dass beide Parteien einander zerstören,[8] hat sich zu allen Zeiten und in allen Kulturen ein regulativer Kanon von im Kern gleichen Werten ausgebildet, der solche existenziellen Konflikte entschärft.[9]

Die Relevanz der Weltethos-Werte für Unternehmen liegt jedoch weniger in ihrem Potenzial der *Konfliktkostenreduktion*, etwa beim Aufbau von Teamstrukturen, im Umgang mit Kunden und Lieferanten oder auch im Stakeholder-Dialog mit der Gesellschaft, sondern dass sie als ein global aktivierbarer Wertekanon helfen, die im ersten Kapitel beschriebenen Wandlungsprozesse zu meistern. Deutlich wird dies, wenn wir den Weltethos-Kanon gegen die traditionellen Vorstellungen von Moral, Ethos und Ethik abgrenzen.

Weltethos zwischen Ethik – Ethos – Moral

Definition Moral: **Moral** bezeichnet die Gesamtheit der jeweils geltenden Werten und Normen, mit denen eine Gemeinschaft individuelles Verhalten bewertet und die von den Mitgliedern dieser Gemeinschaft als bindend anerkannt werden. Moral gründet in der Lebenspraxis sozialer Systeme. Sie dient als Regulativ und Bewertungsmaßstab für einzelmenschliche Handlungen.

Ausgehend von dieser Definition ist moralisches Handeln durch folgende Eigenschaften gekennzeichnet: Moral bzw. moralische Werte leiten Handlungen zumeist unreflektiert. Als unbewusste Richtschnur unseres Verhaltens sind moralische Werte raum-zeitlich partikular sowie passiv handlungsorientiert. Moralische Werte – z. B. im Umgang mit Sexualität,

---

[8] Friedrich Glasl nennt diese letzte von neun Stufen der Konflikteskalation „Gemeinsam in den Abgrund" (Glasl 1980, S. 302).

[9] Liest man Glases Stufenmodell vor dem Kanon der Weltethos-Werte und vergleicht sie mit der internationalen Konfliktforschung, wird ersichtlich, dass alle Konfliktlösungsmodelle, wie etwa die Harvard Negotiation Modelle von Fischer et al. (1981); Ury (1991) und Fisher und Shapiro (2005) sowie das Human Dignity Modell von Donna Hicks (2011) auch auf den Kanon der Weltethos-Werte zurückgreifen.

Nahrung, Eigentum – gründen in der Lebenspraxis einer Kultur. Sie unterstehen permanentem Wandel.

Definition Ethos: Ein **Ethos** besteht aus bewusst reflektierten und von einer spezifische Gemeinschaft als verbindlich anerkannten Werten und Normen, an denen der Einzelne seine persönlichen Handlungen ausrichtet.

Diese Definition des Ethos bringt folgende Eigenschaften zum Ausdruck: Ein Ethos besteht aus reflektiert gelebten Werten und Tugenden. Als oft spezifische Werte einer konkreten Gruppe (beispielsweise das Berufsethos von Ärzten, Richtern, Polizei, Militär) ist das Ethos partikular normativ und aktiv handlungsorientiert. Aufgrund der oben beschriebenen gegenläufigen Wertedynamik in sozialen Systemen unterliegt auch jedes raum-zeitlich konkrete Ethos einem permanenten Wandel.

Definition Ethik: **Ethik** ist die Wissenschaft der Werte und Normen moralisch guten Handelns. Als philosophische Disziplin beschäftigt sich Ethik mit den Bedingungen, dem Umfang und Geltungsbereich sowie der universellen Begründbarkeit der Regeln, die moralischem Handeln zugrunde liegen. Ethik gründet in der Reflexion auf die Grundlagen des Menschseins und dient dazu, Konflikte im Bereich des Handelns zu durchdringen und aufzulösen.

Auch in dieser Definition werden die zentralen Eigenschaften der Ethik auf den Punkt gebracht. Die Ethik ist eine Reflexion auf die sachgemäße (universelle) Begründbarkeit und Gültigkeit handlungsleitender Werte. Sie reflektiert unsere gelebten Werte und Tugenden insbesondere in Konfliktsituationen sowie bei Fragen, was das gute Leben sei. Ethik fragt dabei nach den universell rechtfertigbaren Grundlagen unseres Handelns. Deshalb ist ihr Leitthema die Frage nach der Gerechtigkeit. Ethik als Wissenschaft der Werte ist somit reflexiv handlungsorientiert und ethische Werte ihrem Anspruch nach universell normativ handlungsanleitend.

Wie die Definitionen von Moral, Ethos und Ethik als Leitlinien für unser Handeln zeigen, unterscheiden sich diese Phänomene menschlicher Handlungsorientierung in ihrem Reflexionsgrad, ihrer Handlungsorientierung und ihrer Begründbarkeit. Denn Moral und Ethos als Regulativ für einzelmenschliches Handeln sind reflektierte (Ethos) bzw. unreflektierte (Moral) Binnensysteme von raum-zeitlich konkreten Gruppen (Familien, Unternehmen,…). Ethik als Reflexion der Bedingungen, des Umfangs, des Geltungsbereich sowie der Begründbarkeit moralischer Regeln repräsentiert dagegen das kritisch reflektierte Regulativ moralischer Binnensysteme.

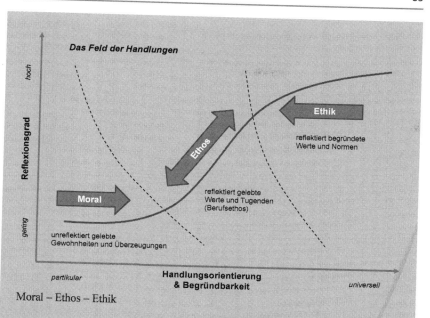

Moral – Ethos – Ethik

In dieser Phänomenologie des guten Handelns bzw. der Begründbarkeit des guten Handelns nimmt das Weltethos eine besondere Rolle ein. Denn einerseits handelt es sich bei den Weltethos-Werten um einen universell gültigen Kanon, der zu allen Zeiten und in allen Kulturen entstand. Zum anderen handelt es sich um einen Kanon, der vorreflexiv praxiswirksam ist, da er aus unterschiedlichsten konkreten Lebenssituationen erwachsen ist. In Anlehnung an Kohlbergs Stufenmodell der moralischen Entwicklung beim Erwachsenen liegt die Pointe der Weltethos-Werte darin, dass wir mit diesen Werten einen Kanon haben, der seine Wirkung auch *unter Level Sechs* entfaltet, also unter der von Kohlberg beschriebenen sechsten Ebene eines universalistisch begründbaren, deontologischen Kanons ethischer Werte (Kohlberg 1995, S. 351 ff.). Dieses Faktum ist mit Blick auf zwei Sachverhalte bedeutsam. Erstens wird die sechste und oberste Ebene der Moralentwicklung laut Kohlberg lediglich von 4 % aller Erwachsenen erreicht (l.c. 59, vgl. 302 ff.). Zweitens bewegen sich die philosophisch diskutierten Ethikkonzepte, seien sie deontologischer (Kant) diskursethischer (Apel, Habermas) gerechtigkeitsethischer (Rawls), utilitaristischer (Bentham, Mill, Singer) und selbst pragmatistischer Spielart (James, Dewey, Rorty) in ihren Argumentationen in der Regel auf dieser sechsten Ebene. Das erklärt, weshalb philosophische Konzepte mit Blick auf das, was Nietzsche das „Menschliche, Allzumenschliche" nennt, allzu oft praxisunwirksam bleiben, und zwar, weil sie nicht dem Denk- und Erfahrungsraum der meisten Menschen entsprechen, die in ihrer emotionalen wie kognitiven Reflexionsfähigkeit den tieferen Ebenen der Kohlbergschen Entwicklungsstufen verhaftet bleiben. Hier dient das Weltethos als relevanter Wertekanon unterhalb der Level Sechs Perspektive. Denn er entsteht einerseits aus den vielfältigen Alltagspraxen eines humanen Miteinanders und ist so schon vor philosophischen Level Sechs Begründungsdiskursen in unterschiedlichsten Kulturen wirksam. Andererseits umfasst der Weltethos-Kanon zugleich den Kern jener Werte- und Gerechtigkeitsvorstellungen, die auf Kohlbergs sechster Ebene der Moralentwicklung den Kern der philosophischen Debatte bilden (l.c. 351 ff.).

Die Bedeutung der Weltethos-Werte liegt somit darin, dass sie im Gegensatz zu den vielfältig kontrovers geführten Ethikdebatten ohne Letztbegründungsdiskurse praxiswirksam sind und somit diesseits philosophischer Begründungsdiskurse in die Lebenswirklichkeit eingreifen. Möglich wird dies, weil die Weltethos-Werte, semantisch gesprochen, keine Intension und Extension haben. Im Unterschied zu räumlich und zeitlich partikularen Werten eines kulturspezifischen Ethos haben sie nämlich keine eineindeutige und inhaltlich konkrete Bedeutung. Als der abstrakte Nenner einer Mannigfaltigkeit religiöser und lebensweltlicher Regeln für ein humanes Miteinander sind sie regulative Leitlinien, mit denen höchst individuelle Lebens- und Unternehmenspraxen auf ihre Ethikfähigkeit hin befragt werden können, ohne dass einzelne lebensweltliche Ausformungen dieser Praxen bevorzugt oder diskriminiert werden. In Anlehnung an Kants Unterscheidung der bestimmenden und der reflektierenden Urteilskraft sind die Weltethos-Werte reflektierende Werte (Kant 1799, S. XXV f.). Sie schreiben nicht Eins zu Eins vor, wie in einer konkreten Handlungs- oder Unternehmenssituation Fairness oder Partnerschaft auszusehen haben oder wie eine konkrete Handlungssituation zu lösen ist, sondern sie helfen bei der Bewertung ob eine konkrete Regel oder Handlungssequenz aus Sicht der Beteiligten – und d. h. hier aus der Perspektive aller (!) Betroffenen – fair und partnerschaftlich ist.

Als universelle Prinzipien eines humanen Miteinanders stehen die Weltethos-Werte so zwischen raum-zeitlich geprägten materialen Moralvorstellungen auf der einen Seite und der abstrakt reflexiven Suche nach einer universell begründbaren Ethik auf der anderen. Wie schon gesagt, dürfen sie dabei nicht material – also inhaltlich bestimmend – ausgedeutet werden, sondern müssen als regulative Ideen begriffen werden, die Bedeutungsgehalte ins Spiel bringen, ohne dabei eineindeutig konkrete Inhalte festzuschreiben. In Analogie zu Kants Unterscheidung einer gedachten „Welt an sich" und den vielfältigen Möglichkeiten ihrer Beschreibung (Kant 1781/1787; vgl. Glauner 1997, S. 156 f.) sind die Weltethos-Werte abstrakte „Setzungen" für die reflektierende Urteilskraft. In dieser Setzung sind sie mit den darunter gedachten raum-zeitlich geprägten Lebensvollzügen nicht Eins zu Eins deckungsgleich. Nur in dieser Unterschiedlichkeit von abstrahierter Setzung und konkret ausgeprägten raum-zeitlich bedingten Lebensvollzügen können wir an beidem festhalten, dem Ideal eines Kanons von Werten, der in allen Kulturen und Lebenssituationen Geltung hat, und an einer Vielfalt an konkreten Lebenskulturen, denen gerade durch den Weltethos-Kanon individueller Raum eingeräumt wird. Anders als die laut Kant vernunftnotwendigen Vorstellungen der theoretischen Vernunft sind die Weltethos-Werte deshalb *lebensweltlich praxiswirksame Vorstellungen*. Sie repräsentieren prozedurale Skripte (Gohl 2011) zur situativen Bewertung von Regeln und Handlungssequenzen, mit denen ein Unternehmen Nutzen stiftet.

Kommen wir nach diesem Exkurs zur ethischen Einordnung des Weltethos-Konzeptes zurück zum unternehmerischen Wertschöpfungspotenzial, das diesen Werten innewohnt. Auch wenn das Weltethos-Konzept mit Blick auf sein Potenzial für unternehmensinternes Konfliktmanagement bedeutsam ist, ist aus Sicht der Strategieentwicklung folgendes Potenzial der Weltethos-Werte noch relevanter:

► These 21: Die Aktivierung der Weltethos-Werte bietet einen Schlüssel für eine umfassende Strategie der Zukunftsfähigkeit von Unternehmen.

Dieser Schlüssel betrifft alle Aspekte des Unternehmens, insbesondere seine Innovationsfähigkeit sowie seine Flexibilität und Unverwechselbarkeit im Bereich substanzieller Nutzenstiftungen. Denn folgt man mit Emile Durkheim und Marcel Mauss der strukturalistischen Soziologie (Durkheim und Mauss 1901/1902; Durkheim 1912), führt die menschliche Gruppenzugehörigkeit zu Differenzierung, d. i. zu jener Dynamik der feinen Unterschiede (Bourdieu 1982), aus der Unternehmen mit ihren Produkten und Dienstleistungen ihr Differenzierungspotenzial beziehen. Aktiv gelebte Weltethos-Werte ermöglichen Unternehmen, dieses Differenzpotenzial innerhalb und zwischen Gruppen zum Vorteil ihrer Leistungsportfolios zu aktivieren.

▶ These 22: Der strategische Kernnutzen des Weltethos liegt in der Erschließung von Differenzpotenzialen als positiver Quelle für Zukunftsfähigkeit.

Beispiele für solche Potenziale sind die Aktivierung interkultureller Teams, die Erschließung kulturell geprägter Märkte sowie die Entwicklung von Hochleistungsteams. Alle drei Aufgaben erfordern ein Spiel mit unterschiedlichsten Wertevorstellungen und Differenzen. Dies gelingt nur dann, wenn die Weltethos-Werte Teil der Spielregeln sind. Als das kleine Einmaleins eines konfliktfreien Miteinanders unterschiedlichster Akteuren sind sie Treiber beim Aufbau von Hochleistungsteams (Glauner 2016). Dies sind Teams, deren Ergebnisse besser sind als jene einer einzelnen Expertenlösung, weil sie Lösungselemente aufgreifen, die vom Experten nicht in den Blick genommen werden, weil er sie in der Expertenperspektive ausblendet oder für nicht relevant erachtet.

Motivationsrendite: Hochleistungsteams und Human Systems Development

Das Wertschöpfungspotenzial einer den Weltethos-Werten verpflichteten Unternehmenskultur zeigt sich in zwei Bereichen. Erstens in der Beziehung des Unternehmens nach außen. Hier ermöglichen die Weltethos-Werte, das Verhältnis von *„Unternehmen, Märkten und Geschäftsmodellen"* so auszugestalten, dass der Umgang mit Differenzen produktive Wertschöpfungspotenziale hebt. Diese Wertschöpfung beinhaltet die „konstruktive Bewältigung von Komplexität", die „Sicherung von Diversität" sowie den Bereich „Innovation und Wachstum". Auf einer zweiten Ebene richtet sich der produktive Umgang mit Differenzen auf die Innenbeziehung, d. i. das systemische Verhältnis von *„Unternehmen und Menschen"*.

Mit Blick auf die *Mikrologik unternehmerischen Handelns* (Glauner 2014), d. i. den Sachverhalt, dass alle unternehmerischen Entscheidungen unter dem Gesichtspunkt einer gesteigerten Wettbewerbsfähigkeit getroffen werden, erschließt eine den Weltethos-Werte verpflichtete Unternehmenskultur folgende Wertschöpfungspotenziale:
1. den Umgang mit Komplexität und Vielfalt (Diversität),
2. die Gestaltung von Hochleistungsteams,
3. die positive Nutzung menschlicher und kultureller Differenzpotenziale für Innovationen und Wachstum,

4. den Aufbau interkultureller Teams,
5. die Ausgestaltung unverwechselbarer Unternehmenskulturen sowie
6. die Senkung von Konfliktkosten durch die Kanalisierung von Konfliktpotenzialen.

Alle diese Wertschöpfungspotenziale orientieren sich am kreativen Umgang mit Diversität: Er erfordert einen offenen und vertrauensvollen Umgang von Menschen unterschiedlicher Herkunft und Fähigkeiten und ist die Voraussetzung dafür, dass das Unternehmen auf globaler Ebene in unterschiedlichsten lokalen Situationen angemessen handeln und entscheiden kann. Gelebte Diversität wird so zu einer Quelle für ökonomischen Erfolg. In ihrer jüngsten McKinsey-Studie führen Hunt et al. (2015) hierzu aus, „[that] the likelihood that companies in the top quartile for diversity financially outperform those in the bottom quartile" (l.c. 1). Für Gender-diverse Unternehmen beträgt diese Wahrscheinlichkeit 15 % und für ethnisch diverse Unternehmen sogar 35 %. Der Bezugsrahmen für die ermittelten Ergebnisse bezieht sich auf die Wahrscheinlichkeit „of financial performance above the national industry median. Analysis is based on composite data for all countries in the data set. Results vary by individual country" (l.c. 1). Diversität wird so zu einem expliziten Wertschöpfungsfaktor. Deutlich wird dies, wenn wir uns die in Kap. 1 beschriebenen Entwicklungen und dort insbesondere die Problematik von Entscheidungsfindungen in komplexen Situationen vergegenwärtigen. Die Lösung dieser Problematik erfordert ein verändertes Verständnis von Menschen und Zielen, bei dem die Weltethos-Werte eine besondere Rolle spielen. Denn mit Blick auf die kontinuierlich wachsende Komplexität des Unternehmensumfeldes sind Führungskräfte und Unternehmen genötigt, ihre Entscheidungen zunehmend in unübersichtlichen Situationen zu treffen. Um hier einen Entscheidungshorizont gewinnen zu können, der nicht von den Grenzen der eigenen Perspektive geprägt wird, benötigt es Input von Menschen mit anderen Perspektiven. Dieser Input erhöht die Komplexität zusätzlich. Zur Bewältigung dieses Sachverhalts ist ein multidimensional offener Umgang mit Informationsträgern, also Mitarbeitern, Kunden, Lieferanten und sonstigen Stakeholdern erforderlich, der, soll er fruchtbar werden, von gemeinsamen Werten, wie Partnerschaft, Achtung, Fairness, Gegenseitigkeit, Offenheit und Wahrhaftigkeit getragen sein muss. Eine solche Unternehmenskultur ist die unbedingte Voraussetzung dafür, dass sowohl inhaltlich als auch operativ Entscheidungen getroffen werden können, die Transaktionskosten reduzieren, auch wenn nur unzureichende Informationen vorliegen. Die Erschließung von Diversitätspotenzialen zur Lösung der Komplexitätsdynamik setzt somit eine aktive Förderung der weltethischen

Werte im Unternehmen voraus. Denn nur eine weltethisch proaktiv gelebte Diversität versetzt Unternehmen in die Lage, zugleich flexibel, wandlungsfähig, unverwechselbar und leistungsfähiger zu werden, indem sie einerseits Transaktionskosten (Komplexitäts- und Konfliktkosten) senkt und andererseits das Kreativitätspotenzial für Innovations-, Kreativitäts- und Wachstumsprozesse hebt. Kurz: das Wertschöpfungspotenzial der Weltethos-Werte in Unternehmen zielt auf eine *Motivationsrendite*, d. i. die Steigerung des Unternehmenserfolgs durch qualitative Steigerung der menschlichen und systemischen Interaktionen und Austauschprozesse.

Angesichts der oben beschriebenen Wandlungsprozesse bedeutet dies: wollen Unternehmen zukunftsfähig bleiben, müssen sie heute in zwei Richtungen denken. Einerseits müssen sie immer flexibler werden, damit sie auf die Beschleunigung aller Prozesse, den Wegfall bestehender Geschäftsmodelle sowie die horizontale und vertikale Entgrenzung von Märkten reagieren können. Gleichzeitig müssen sie die Unverwechselbarkeit ihrer Produkten und Dienstleistungen behaupten. Die Lösung dieses Paradoxon moderner Unternehmensführung erfordert ein *Human Systems Development*, das durch die Weltethos-Werte qualifiziert wird. Es regelt den Umgang mit Differenzen zwischen Individuen, Individuen und Gruppen sowie zwischen Gruppen, seien es kulturelle Differenzen, unterschiedliche Welt- und Wirklichkeitsauffassungen oder auch unterschiedliche Fähigkeiten und Fertigkeiten. Für ein Unternehmen kann dieser Umgang mit Differenzen nur dann fruchtbar gemacht werden, wenn die Beteiligten auf Basis des Weltethos-Kanons handeln.

Die Bewältigung von Komplexität, der Umgang mit Diversität sowie die Sicherung von Innovation setzen einen vertrauensvollen Umgang mit Menschen voraus; dieser gründet in einem Kommunikations- und Kooperationsverhalten, das das im Unternehmen wirkende Sozialkapital aus Loyalität, Vertrauen und geteiltem Wissen steigert (Sennett 2007, S. 52). Alle Formen einer sozialkapitalsteigernden Kommunikations- und Kooperationskultur sind im Kern den Weltethos-Werten verpflichtet. Als bedeutsamster Prozess der Unternehmensführung ist der Aufbau einer weltethisch qualifizierbaren Kommunikations- und Kooperationskultur deshalb die Grundlage für den Aufbau von Teamstrukturen, in denen sich Diversität und Motivation zu einer *Hochleistungsperformanz* verdichten. Die Ausbildung von Hochleistungsteams sowie von interkulturellen Teams ist somit der zentrale Schlüssel für die erfolgreiche Bewältigung der Aspekte Komplexität, Diversität und Innovationsfähigkeit.

Als Modus operandi von Hochleistungsteams ist eine von den Weltethos-Werten getragene Unternehmenskultur die Grundlage und Voraussetzung dafür, dass Unternehmen ihr großes Einmaleins einer eigenständigen, hochflexiblen und zugleich substanziell unverwechselbaren Nutzenstiftung entfalten können. Deutlich wird dies an einem sowohl für die Strategieentwicklung als auch für die Unternehmensalltag relevanten Aspekt der Unternehmensführung: dem Phänomen von *Führungsstilen, Führungssystemen* und *Leadership.*[10] Je nach Lage, Geschäftszweck und Organisationsform sind *situativ angemessene* Führungsstile zwingend. So erfordern beispielsweise Situationen und Aufgaben, wo eine große Anzahl an Menschen mit sehr hohem Wissensgefälle durch große Umbrüche geführt werden sollen, einen eher autoritär geprägten Führungsstil. Umgekehrt erfordert die Lösung kreativer Aufgabenstellungen in einem Umfeld mit hoher Umweltkomplexität überschaubare, kleinrahmige soziale Systeme (Teams, Arbeitsgruppen) mit geringer Systemkomplexität, d. h. Hochleistungsteams, die weitgehend von Laissez-faire geprägt, sich selbst organisieren und so schnell handeln und reagieren können.

Situativ angemessene Führungsstile sind nur dann erfolgreich, wenn das Führungssystem auch von den Weltethos-Werten getragen wird. Alle Führungssysteme, seien sie von Laissez-faire geprägt oder autokratisch, bürokratisch, cha-

---

[10] Zur Abgrenzung der Termini Führung, Führungstile, Führungssysteme und Leadership helfen folgende Definitionen:

Führen ist Entscheiden in Situationen unvollständiger Information. Es ist der Prozess, komplexe Handlungssituationen durch Auswahl von Mitteln, Wegen und Zielen (Sachorientierung) sowie durch Organisation und Motivation von Menschen (Menschorientierung) so zu strukturieren, dass angestrebte Aufgaben und Ziele von den beteiligten Akteuren aus Eigenantrieb heraus gelöst werden.

Führung (Leadership) ist die Fähigkeit, Menschen für eine Sache so zu begeistern, dass sie diese aus Eigenmotivation verfolgen. Gute Führung zielt auf Freiwilligkeit und die aktive Gestaltung von übertragenen Aufgaben, nicht auf die blinde, willfährige Umsetzung von Vorgaben. Führen heißt, die zwischenmenschliche Dimension geteilter Werte zu aktivieren. Sie orientiert sich am Menschen als sinnorientiertem Wesen.

Führungsstile sind konkrete Herangehensweisen zur Aktivierung der Geführten. Aus Sicht der Führung sind es systemische Verhaltensweisen, die begünstigen, dass die zu Führenden eigenständig Lösungen für komplexe Handlungssituationen finden, orchestrieren und umsetzen. Führungsstile prägen Führungssysteme.

Führungssysteme sind Wertesysteme, die das situative Zusammenwirken von Führen und Geführt werden organisieren. Führungssysteme sind der Ausdruck von raum-zeitlich und sozio-kulturell geprägten Vorstellungen, die das Menschenbild und die wechselweisen Rollen der Führung und der Geführten festlegen.

Führungsverantwortung (Leadership) ist die umfassende Verantwortung für die Personen, die geführt werden. (Fehler des Mitarbeiters sind Führungsfehler).

rismatisch, demokratisch, kooperativ und dergleichen mehr, sind dann weltethisch qualifiziert, wenn das Führungssystem auf der *Organisationsebene* offen, transparent und konsequent ausgestaltet wird, auf der *Sachebene* Fairness, Verlässlichkeit, Achtung und Respekt walten und die *Beziehungsebene* von Vertrauen, Verantwortung und Verbindlichkeit zeugt. Werden diese Werte im unternehmensspezifischen Führungssystem aktiv gelebt, bewegt sich der individuelle Führungsstil im Rahmen der Weltethos-Werte. Denn Offenheit, Transparenz, Konsequenz, Fairness, Verlässlichkeit, Achtung, Respekt, Vertrauen, Verantwortung und Verbindlichkeit speisen sich aus dem Basiskanon jener Werte, die im Weltethos-Konzept noch abstrakt erscheinen.

Die weltethische Qualifizierung unternehmensspezifischer Führungssysteme verdeutlicht die Rolle der Weltethos-Werte im Reigen anderer Unternehmenswerte. In diesem haben sie lediglich eine dienende Funktion. Deshalb sind sie nicht Primärwerte der Unternehmenskultur, sondern Begleitwerte von Strategien der Exzellenz. Sie sind unverzichtbar, um das Paradoxon moderner Unternehmensführung zu lösen, nämlich durch hochflexible, substanzielle Nutzenstiftungen Unternehmen unverwechselbar zu machen.

Primär- und Sekundärwerte der Unternehmenskultur

Primärwerte der Unternehmenskultur sind alle materialen – also inhaltlich konkret definierten – Werte, die den Nutzen qualifizieren, den ein Unternehmen stiftet. Wie in Abb. 5.3 dargestellt, gliedern sich diese Nutzen stiftenden Werte in den Kernnutzen des Geschäftsmodells sowie daraus abgeleitet in die Leit- und Prozesswerte der Unternehmenskultur (vgl. Glauner 2013, 2016). *Leitwerte* der Unternehmenskultur sind alle Werte, die zum Ausdruck bringen, wie ein Unternehmen Nutzen stiftet. Dabei qualifizieren die Leitwerte die spezifische Nutzenstiftung des Unternehmens mit ansprechenden Werten, die das Nutzenversprechen produkt- und servicebezogen definieren. Nach außen leiten die Leitwerte die Entwicklung von Markenclaims, nach innen den Aufbau von Kernkompetenzen, mit denen das Nutzenversprechen wettbewerbswirksam erfüllt wird. Die Nutzenstiftungsfunktion der Leitwerte wird als Pull-Effekt erlebt. Menschen, die den von einem Leitwert ausgedrückten Nutzen anstreben, fühlen sich von diesem Leitwert angezogen. *Prozesswerte* der Unternehmenskultur sind dagegen alle Werte, die den Umgang im Unternehmen regeln. Sie richten die Unternehmenskultur derart aus, dass das Unternehmen seine Leitwerte optimal entwickeln kann, um sein Nutzenversprechen wettbewerbswirksam zu erfüllen. Die Prozesswerte gliedern sich dabei in die primären und sekundären Normen der Unternehmenskultur auf mit denen das Zusammenspiel der einzelnen Unternehmensbereiche und Prozesse geregelt wird. Die primären Normen sind dabei jene, die dafür sorgen, dass die in den Leitwerten ausgedrückte Nutzenstiftung optimal umgesetzt wird. Die sekundären Normen sind dagegen die Werte des Weltethos. Als kleines Einmaleins des Miteinanders müssen sie schon verankert sein und gelebt werden, wenn das Unternehmen sein großes Einmaleins der unverwechselbaren Nutzenstiftung bewerkstelligen möchte. Im *Wertecockpit* werden die Leit- und Prozesswerte inhaltlich konkretisiert und so aneinander ausgerichtet, dass das Unternehmen unverwechselbar wird. Der Zusammenhang dieser Werte und seine Steuerung mittels des Wertecockpits kann am Beispiel des vom Autor gegründeten Watercooler-Serviceunternehmens **Pur Aqua Services AG** verdeutlicht werden:

Pur Aqua war ein Startup, das seinen Unternehmensaufbau konsequent mit den Mitteln des Wertecockpits umsetzte. Der Kernnutzen des kundenorientierten Geschäftsmodells lautete: „Reines Wasser – reiner Service", da Pur Aqua zu jenem Zeitpunkt das einzige Unternehmen im Markt war, welches Watercooler-Gallonen mit reinem Schwarzwälder Quellwasser abfüllte. Der Markenclaim wurde mit drei Leitwerten unterfüttert. Anhand der Frage „What's in for me?" qualifizierten sie aus Kundensicht den Kernnutzen von Pur Aqua: Service und Convenience; Erfrischend reines Schwarzwälder Quellwasser sowie Gesundheit und Wohlbefinden. Aus diesen drei Leitwerten wurde das aus vier Kernkompetenzen bestehende Kompetenzprofil abgeleitet, mit dem Pur Aqua an den Markt ging: Wasser-Know how, Kundenorientierung, Servicebewusstsein, Vertriebskompetenz. Zur Absicherung dieser Kernkompetenzen wurde eine Unternehmenskultur gepflegt, die im Umgang mit Kunden, Lieferanten, Mitarbeitern sowie allen sonstigen externen Partnern den Prozesswerten Offenheit, Freundlichkeit, Beständigkeit, Hochwertigkeit, Pünktlichkeit, Schnelligkeit und Effizienz verpflichtet war. Als primäre Werte der Unternehmenskultur wurden diese wertschöpfungsstiftenden Prozesswerte von den Begleitwerten des Weltethos flankiert, da sie als Basiswerte einer Unternehmenskultur Voraussetzung dafür waren, dass die Wertschöpfungspyramide des Geschäftsmodells zum Tragen kam.

Der Markenraum und das Wertecockpit der Pur Aqua Services AG

Mit dieser werteorientierten Ausgestaltung seiner Geschäftstätigkeit konnte Pur Aqua innerhalb von zwei Jahren nach seiner Gründung ein nationales Vertriebsnetz aufbauen, sich mit neun internationalen Auszeichnungen in London und Seattle gegen namhafte Abfüller von Mineral- und Tafelwasser durchsetzen und das Unternehmen erfolgreich an die Danone S.A. verkaufen.

Als das kleine Einmaleins menschlichen Miteinanders sind die Weltethos-Werte so Voraussetzung dafür, dass das Unternehmen sein großes Einmaleins, nämlich unverwechselbare substanzielle Nutzenstiftung, realisieren kann. Hierbei sind die Weltethos-Werte nicht nur das Regulativ für den zwischenmenschlichen Umgang, sondern zugleich der Maßstab, ob das große Einmaleins der Unternehmensleistung, d. i. die Ausgestaltung des Geschäftsmodells sowie des Nutzenportfolios, selbst ethikfähig ist. In Analogie zu Wittgensteins logischer Wahrheitstafel (Wittgenstein 1989, S. 40 (TLP 4.31)) qualifizieren die Werte des Weltethos deshalb sowohl das Verhalten als auch die Nutzenstiftung, die ein Unternehmen an den Tag legt (vgl. Abb. 6.4).

Die Funktionsweise der ethischen Wahrheitstafel zur Bewertung von Unternehmenskulturen und Geschäftsmodellen kann so erläutert werden: das in der Innenorientierung an den Tag gelegte Verhalten von Unternehmen ist dann ethisch qualifiziert, wenn die Unternehmenskultur, d. i. der im Unternehmen gelebte Umgang miteinander von Achtung, Fairness, Partnerschaft getragen ist, mithin den Prinzipien eines humanen Miteinanders, das auf den Werten von Gerechtigkeit, Solidarität, Wahrhaftigkeit und Toleranz ruht und das danach strebt, diese Prinzipien situativ

Verhalten Innenorientierung (Unternehmenskultur, Umgang mit internen Stakeholdern)	Verhalten Außenorientierung (Ziele, Geschäftsmodell, Umgang mit externen Stakeholdern)
ethisch	ethisch
ethisch	nicht ethisch
nicht ethisch	ethisch
nicht ethisch	nicht ethisch

Abb. 6.4 Die ethische Wahrheitstafel

angemessen im Unternehmen umzusetzen. Der europäische Marktführers **dm dro-gerie-markt GmbH** nennt dies „Menschorientierung", die dem ganzen Menschen verpflichtet ist (Glauner 2013, 164 ff.).

Von dieser Innenorientierung, d. i. der prozessorientierten Ausrichtung der Unternehmenskultur, ist die Ethikfähigkeit der Außenorientierung, d. i. die nutzenorientierte Gestaltung der strategischen Ziele und des Geschäftsmodells zu unterscheiden. Ethisch tragfähig sind unternehmerische Ziele und Geschäftsmodelle dann, wenn sie ihre Ertragsziele auch an den Belangen der Kunden sowie erweitert um die Dimensionen der Triple Bottom Line, an den Belangen der Umgebungssysteme ausrichten, in und aus denen Unternehmen wirtschaften. Ethisch qualifiziert sind deshalb nur solche Unternehmen, die auf der Grundlage einer ethisch tragfähigen Unternehmenskultur Geschäftsmodelle betreiben, mit denen ein tragfähiger substanzieller Nutzen nicht nur für das Unternehmen, sondern für alle, die mit dem Unternehmen in Beziehung stehen, gestiftet wird. Als Aussagensatz formuliert heißt dies: „Unternehmen X ist ethisch qualifiziert dann und nur dann, wenn es eine ethisch qualifizierbare Unternehmenskultur und ein ethisch tragfähiges Geschäftsmodell pflegt" (Abb. 6.5).

Besonders offensichtlich wird der Unterschied beider Ethikdimensionen unternehmerischen Handelns, wenn wir uns Unternehmen vergegenwärtigen, die in der Innenorientierung ethisch und in ihrer Außenorientierung unethisches Verhalten an den Tag legen oder umgekehrt. Am diskussionswürdigen Beispiel der **Deutsche Bank AG** sei das verdeutlicht. Dieses Traditionshaus kann sicherlich mit Fug und Recht für sich in Anspruch nehmen, dass es den Visionen von Hermann Josef Abs oder Alfred Herrhausen folgend über lange Jahre eine Unternehmenskultur pflegte, die den Bankier-Prinzipien von Achtung, Fairness, Gegenseitigkeit, Transparenz,

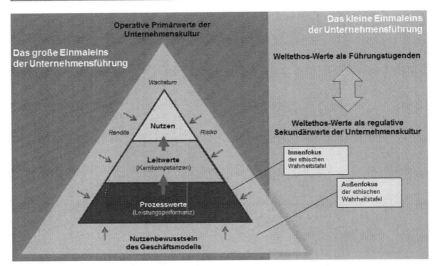

Abb. 6.5 Die ethischen Grundlagen zukunftsfähiger Geschäftsmodelle

Gerechtigkeit und Solidarität verpflichtet war. Betrachtet man jedoch das Verhalten des Unternehmens der vergangenen 20 Jahre, kann man den von der Bank verfolgten Zielen, Geschäftsmodellen und Handlungen mit guten Gründen die Ethikfähigkeit absprechen. Denn mit dem von Josef Ackermann forcierten Ziel einer Eigenkapitalrendite von 25 % verbindet sich eine Veränderung des Geschäftsgebarens, das die Bankiers-Werte einer nachhaltigen und kundenorientierten Finanzierung der Märkte in eine Banker-Moral überführte, die das unternehmerische Handeln ausschließlich an den eigenen Renditezielen sowie den daran geknüpften Bonierwartungen maß. Im Ergebnis führte dieser Kulturwandel zu mehr als 7000 Rechtsverfahren über Betrugs- und Manipulationsdelikte gegenüber Kunden, Marktbegleitern, Aufsichtsbehörden, Börseninstitutionen sowie dem Staat, von denen laut Frankfurter Allgemeine Zeitung vom 8. Juni 2015 noch 6000 Verfahren anhängig sind. Dabei hat die Bank schon heute in rechtskräftigen Verurteilungen knapp 9 Mrd. € Strafzahlungen für Börsenmanipulationen, Zinsmanipulationen, Marktmanipulationen und Prozessbetrugsverfahren entrichtet (vgl. „Eine Bank wird zur Rechtsabteilung", F.A.Z. vom 8.6.2015, S. 19).

Der Deutschen Bank kann aus den gleichen Gründen unethisches Verhalten vorgeworfen werden, wie anderen Akteuren des Finanzmarktes, an prominentester Stelle der Bank Lehman Brothers, welche ihren Kunden Finanztitel verkaufte, auf deren Wertverfall intern auch noch gewettet wurde, so dass der Unternehmensprofit mit dem Verkauf der Papiere an die Kunden vervielfacht werden konnte (Glauner 2013, S. 42). Auch die Deutsche Bank setzte auf eine Geschäftsmodellpraxis der egozentrierten Vorteilsnahme. Dabei setzt sie die eigenen Interessen über alle Belange einer kundenorientierten Nutzenstiftung. In ihrer rein rendite- und boni-getriebenen Handlungsorientierung folgte somit auch die Deutsche Bank der oben skizzierten Logik der verantwortungslosen Profitmaximierung auf Kosten anderer (Villhauer 2015).

Auch der umgekehrte Fall zeigt, dass ethisch qualifizierte Unternehmenskulturen und ethisch qualifizierte Geschäftsmodelle nicht notwendig Hand in Hand gehen müssen. Wenden wir uns karitativen oder auch Fair-Trade- und nachhaltigkeitsorientierten Unternehmen zu, finden wir im Markt nicht selten Akteure, die ihr wohltätiges Geschäftsmodell auch dadurch absichern, dass sie ihren angestellten Mitarbeitern systematisch Leistungen, etwa zustehende Urlaubs- oder Überstundenregelungsansprüche, vorenthalten oder das Unternehmen über eine Angst- und Willkürkultur steuern, bei der jeder gegen jeden ausgespielt wird. Auch bei Unternehmen mit ethischen Ansprüchen und Geschäftsmodellen finden sich somit Unternehmenskulturen, die von den *NEM-GEM-Faktoren* der menschlichen Untugenden getragen werden, d. h. von Neid, Eifersucht, Missgunst, Gier, Eitelkeit und Machtstreben.

Das Beispiel der Deutschen Bank erschließt erneut den Zusammenhang von Werten, mentalen Modellen und unternehmerischem Handeln. Mit Blick auf eine zukunftsfähige Strategieentwicklung kann dieser Zusammenhang als Prozess der wechselweisen Ausbildung einer spezifischen Markt- und Unternehmenskultur beschrieben werden. Hierbei reagieren Unternehmen auf das Marktverhalten der Marktbegleiter und verstärken mit ihrem eigenen Verhalten die erfahrene Marktkultur. Die Ausbildung solch einer Marktkultur ergibt sich aus folgender Rückkopplungsschleife, die für Unternehmen zur Gefahr werden kann, wenn sich Märkte schneller verändern als die Unternehmenskultur bzw. umgekehrt, wenn sich eine Unternehmenskultur ausgebildet hat, die nicht mehr marktfähig ist:

- Unternehmen richten ihr Verhalten am erwarteten Verhalten der Marktbegleiter aus.
  1. Das Verhalten der Marktbegleiter wird durch das mentale Modell geprägt, mit dem der Markt organisiert wird.
  2. Das mentale Modell des Marktes prägt unternehmerisches Handeln.
  3. Unternehmerisches Handeln prägt die im Unternehmen gelebten Werte.
  4. Die gelebten Werte – also nicht die Werte des Leitbildes, die oft Lippenbekenntnis bleiben – bestimmen die Entwicklungsrichtung des Unternehmens.
  5. Wandeln sich die Märkte schneller als die bestehende Unternehmenskultur oder passt die gelebte Wertekultur eines Unternehmens nicht mehr zu den Werten der Umgebungssysteme, droht das Unternehmen gleich einem Tanker auf falschem Kurs an den Klippen des veränderten Marktumfeldes zu zerschellen.

Die Problematik dieser Rückkopplungsschleife liegt darin, dass Unternehmen heute vor der Aufgabe stehen, eine Organisationskultur auszubilden, die von zukunftsfähigen Denk- und Verhaltensweisen getragen ist. Ernsthaft verfolgte Bestrebungen, eine bestehende Unternehmenskultur zu ändern, benötigen dabei einen konsequent verfolgten Wandlungsprozess, der mindestens fünf Jahre in Anspruch nimmt. Angesichts der eingangs beschriebenen beschleunigten Transformation aller Märkte gerät die Langfristigkeit von Umsteuerungsprozessen so immer öfter in Konflikt mit den kurzfristigen Wirkungen der Umbrüche.

Für die Entwicklung zukunftsfähiger Geschäftsmodelle erwachsen aus dieser Problematik zwei Einsichten, die bei unternehmerischen Strategieentscheidungen zu berücksichtigen sind. Die erste betrifft den Zusammenhang von marktkonformem Verhalten (Compliance) und Schwarmdummheit, der zweite den Ausweg aus dem Fliegenglas von sich selbst konditionierenden Erwartungshaltungen.

Compliance oder die Schwarmdummheit marktkonformen Verhaltens
Was für das Verhalten von Menschen gilt, gilt auch für das Verhalten von Unternehmen. Beide richten ihr Verhalten an den Erwartungen aus, die sie den sie umgebenden sozialen Systemen zuschreiben. Am Verhalten des Menschen verdeutlicht: Wie die umfangreiche sozial-psychologische Forschung zeigt, teilen die meisten Menschen das tief verankerte Bestreben, sich harmonisch in die Gruppen einzufügen, in denen sie leben (Bauer 2006). Das gilt sogar dann, wenn das Streben nach Compliance gegenüber den Werten und Überzeugungen der Gruppe im Konflikt zu persönlichen Werten und Überzeugungen steht. Wie Paul Watzlawick, Solmon Asch oder auch Hannah Ahrendt zeigen, sind die meisten Menschen bereit, persönliche Überzeugungen „über Bord" zu werfen, um den Bestrebungen der Gruppe zu entsprechen (Watzlawick 1976; Asch 1955, 1956; Arendt 1951, 1964). Dieser Sachverhalt wird am Verhalten von Soldaten im Krieg erschreckend deutlich. Sönke Neitzel und Harald Welzer untersuchten in einer breit angelegten Studie (Neitzel und Welzer 2011), dass die Mehrheit der Soldaten, die an Kriegsverbrechen beteiligt waren, gegen ihre eigenen Werte und Überzeugungen verstieß, – z. B. Frauen nicht zu vergewaltigen und Kinder nicht zu töten. Grund war, dass die Teilnahme an solchen Gräueltaten bei den meisten Soldaten nicht aus Überzeugung, niederer Gesinnung oder anderweitiger persönlicher Motivation erfolgte – etwa aufgrund einer autoritär geprägten Neigung zum Gehorsam (Milgram 1974), sondern schlicht und einfach deshalb, weil sie dachten, es sei üblich, gehöre zum Krieg dazu und werde von ihnen erwartet.

Auch Unternehmen orientieren sich an den Erwartungen, die sie dem Markt, d. h. seinen Kunden, Lieferanten, Wettbewerbern sowie allen sonstigen unterneh-

mensrelevanten Stakeholdern zuschreiben. Hierbei verhalten sich Unternehmen in der Regel marktkonform, d. h. genauso wie die anderen Marktteilnehmer. Diese Konformität führt dazu, dass sich Marktzyklen aufschaukeln, die regelmäßig zu Blasen führen. Betrachtet man das Verhalten von Menschen und Unternehmen innerhalb dieser Zyklen, kann beides als Schwarmverhalten beschrieben werden. Dieses Schwarmverhalten zeugt jedoch weniger von Schwarmintelligenz,[11] als vielmehr von Schwarmdummheit. Denn gerade das marktkonforme Verhalten führt zu jenen Blasenbildungen, auf die die Unternehmen und Menschen wiederum marktkonform reagieren: Plötzlich wollen alle nur noch das Eine – DIE Aktie, DIE Anleihe oder DIE Marke. In der Folge steigen die Preise bis zu jenem Punkt, an dem das sich selbst anheizende Produkt des Begehrens überbewertet ist und sein schwindelerregender Wert zusammenbricht. Solche Blasenbildung als Ausdruck von Schwarmdummheit lebt aus dem Impuls des Lemmings, dem ersten zu folgen. Weil alle Nachbarn danach gieren und rennen, muss „etwas dran sein", aus Angst, etwas zu verpassen, rennt man kritiklos mit. Zukunftsfähige Strategieentwicklung berücksichtigt diesen *Lemming-Effekt* und beschreitet eigenständige Wege.

---

[11] Otto et al. (2007) sehen in der Schwarmintelligenz, dem unreflektierten Verhalten der Vielen, ein Potenzial, mit dem Unternehmen Wettbewerbsvorteile erzielen können, beispielsweise bei der Umfeldwahrnehmung (l.c. 158), aber auch bei der Organisationsform oder im Bereich von Innovationen. Was für Fische und Vögel sinnvoll ist, nämlich die schnell reaktionsfähige Selbststeuerung einer massereichen Ansammlung kognitiv unterkomplexer Individuen in einem niederkomplexen Umfeld (z. B. dann, wenn ein Seehund einem Schwarm Heringe nachstellt), ist für die Selbststeuerung einer Ansammlung von kognitiv hochkomplexen Individuen in hochkomplexen Umfeldern zumeist ungeeignet. Das Schwarmverhalten von Menschen führt deshalb in der Regel nicht zu besseren Lösungen, sondern zu suboptimalen Entscheidungen wie der Blasenbildung an Märkten. Wie die Organisationsforschung sowie die Forschung zur Entscheidungsfindung in demokratisch legitimierten Beteiligungsprozessen zeigen (Grande 2012), sind sich selbst organisierende Gruppen nur dann in der Lage, schnell und effektiv in hochkomplexen Umweltsituationen zu optimalen Entscheidungen zu kommen, wenn sie erstens nur eine geringe Anzahl von Individuen umfassen und zweitens zentrale Werte und Weltsichten teilen, darunter jene der Weltethos-Werte, die den reibungsarmen Umgang mit Differenzen regeln und das Potenzial unterschiedlicher Perspektiven heben. Sobald der Anzahl der beteiligten Individuen und/oder die Komplexitätsanforderungen an die Problembewältigung und/oder Unterschiede in zentralen Wertehaltungen und Weltsichten innerhalb der beteiligten Individuen zunehmen, droht die sogenannte Schwarmintelligenz entweder in Schwarmdummheit umzuschlagen – d. h. alle folgen nur der einen Idee, ohne andere Möglichkeiten ernsthaft zu erwägen – oder in die Unfähigkeit des Systems, sich reaktionsschnell, effizient und erfolgreich selbst zu steuern.

Der Ausweg aus dem Fliegenglas sich selbst konditionierender Erwartungen oder: Von Vögeln lernen:

„Von Vögeln lernen" ist die Metapher dafür, wie Unternehmen dem Lemming-Effekt marktkonformen Handelns entkommen können. Diese Metapher erschließt sich in folgendem Bild. Betrachten wir den Exodus der Saurier vor rund 66 Mio. Jahren, kann festgehalten werden, dass sich die Tiere nicht schnell genug an die veränderten Umweltbedingungen anpassen konnten. Dies lag daran, dass die Entwicklung der Saurier einer Logik der Größe folgte, so dass am Ende der Kreidezeit vor rund 66 Mio. Jahren mit den Sauriern die größten Wesen lebten, die die Erde je bevölkerten. Mit dem Umbruch zum Känozoikum, d. i. dem Beginn der Erdneuzeit, wurde diese Strategie des „Immer Größer werden wollens" den Sauriern zum Verhängnis. Denn *„size matters"* konnte für sie nur bedeuten, noch größer zu werden. Das aber passte nicht zu den veränderten Umweltbedingungen. In der biologischen Rückkopplungsschleife der Erwartung, was gestern erfolgreich war, wird auch heute und morgen erfolgreich sein, waren die Saurier so dem Untergang geweiht. Jedoch nicht alle Saurier folgten dieser Logik der Größe. Vögel, ebenfalls eine Gattung der Saurier, beschritten einen komplett anderen Weg und entwickelten kleinteilige Nischenstrategien, die dazu führten, dass sie sich hochflexibel an unterschiedlichste Habitate anpassen konnten, weitaus erfolgreicher als die Klasse der Reptilien. Von Vögeln lernen bedeutet in diesem Sinn, in Umbruchsituationen eigenständige und neue Wege zu beschreiten, die die bestehende Marktlogik erfolgreich durchbrechen.

Das bedeutet heute für Unternehmen, die mentalen Modelle in Frage zu stellen, die das bisherige Marktgeschehen prägen. Hierzu ist ein verändertes Wertebewusstsein erforderlich. Es genügt heute nicht mehr, auf die sich abzeichnenden Veränderungen zu reagieren, da die bisher erfolgreichen Reaktionsmuster zur Ausbildung von sich selbst konditionierenden Erwartungen geführt haben, die das Marktgeschehen in eine Richtung der Kurzfristigkeit treiben, die das eigene Überleben gefährdet. Ausdruck dieser Kurzfristigkeit sind der Ruf nach immer mehr Flexibilität, die sich immer weiter verkürzende Lebensspanne von Unternehmen sowie die Beschleunigung der allgemeinen Veränderungsdynamik, auf die Unternehmen zu reagieren haben. Diese Beschleunigung führt zu einem kurzfristigen Denken, das sich nur noch an Quartalszahlen orientiert. Um zukunftsfähig zu werden, markiert der erste Schritt eines eigenständigen Weges die Einsicht, dass das Unternehmen nicht auf die kurzfristigen Veränderungen, sondern auf die langfristigen Konsequenzen reagieren muss, die aus der immer schneller sich drehenden Veränderungsspirale erwachsen. Diese Konsequenzen bestehen in der Spirale aus Disruption, Konzentration und Ressourcenraubbau sowie der damit einhergehenden Erosion einer breiten und vielfältigen Unternehmenslandschaft, einer starken Konsumentenbasis und einer gesunden Teilhabestruktur.

Erfolgreiche Strategieentwicklung spaltet sich angesichts dieser Veränderungsspirale in zwei Basisstrategien auf. Die erste folgt dem ökonomischen Modell der Strategieentwicklung und sucht in der Entwicklung von disruptiven Geschäftsmodellen die Märkte so zu monopolisieren, dass sich selbst tragende Fürstentümer und Königreiche geschaffen werden können. Dies ist *das große Spiel der Strategieentwicklung*, wie es heute von Unternehmen wie Apple, Monsanto & Co. verfochten wird. Wie die Argumentation zur Spirale aus Disruption, Konzentration und Ressourcenraubbau verdeutlichte, führt dieses Strategieverständnis am Ende jedoch dazu, dass die Grundlagen der eigenen Geschäftstätigkeit so weit erodieren, dass das eigene Geschäftsmodell zu kollabieren droht. Das große Spiel der Strategieentwicklung läuft so Gefahr, den Weg der Saurier zu beschreiten. Zukunftsfähig sind deshalb eher Strategien, die auf *das kleine Spiel der Strategieentwicklung* abzielen, nämlich darauf, durch Vernetzung vielfältigster kleinteiliger Strukturen eine breite Teilhabebasis zu schaffen, die die eigene Geschäftstätigkeit absichert. Zukunftsfähige Strategieentwicklung lernt von den Vögeln. Sie zielt auf die Entwicklung von Geschäftsmodellen in der Bewusstseinsökonomie ab. Diese Geschäftsmodelle gründen in einem Werteverständnis, das begreift, dass die Ausgestaltung zukunftsfähiger Wertekulturen der Kernwertschöpfungsprozess ist, mit dem der Weg zu den Wettbewerbsvorteilen von morgen beschritten werden kann.

6.3 Strategien der Zukunftsfähigkeit: Mehrwertstiftung

Wenden wir uns mit dem soeben entwickelten Instrument der ethischen Wahrheitstafel für Geschäftsmodelle der Bewusstseinsökonomie nochmals den Geschäftsmodellen zu, die unser heutiges Wirtschaften prägen. Folgen wir der oben entfalteten Argumentation der ökonomischen Logik der Strategieentwicklung, lebt modernes Wirtschaften insgesamt aus einer sich permanent beschleunigenden Ressourcenzerstörung. Ohne in ideologische Debatten abgleiten zu wollen, kann das an der Basisressource Öl verdeutlicht werden. Auch wenn wir nicht wissen, ob wir schon 60 % oder doch nur 45 % oder gar mehr als 70 % der weltweiten Ölvorkommen verbraucht haben, wissen wir, dass der Aufbau der globalen Ölvorkommen über einen Zeitraum von mehreren hundert Millionen Jahren erfolgte und dass wir in gerade einmal hundert Jahren in weiterhin ungebremst anwachsendem Verbrauch wohl mehr als die Hälfte dieser Vorkommen verkonsumierten. Erdgeschichtlich haben wir innerhalb von hundert Jahren Ressourcen unwiederbringlich verbraucht, deren Aufbau Jahrmillionen benötigte. Dies gilt nicht nur für Öl, sondern auch für andere Ressourcen. Unterlegen wir diese Einsicht mit mathematischen Modellen zur Dynamik sprungfixer Veränderungen, sind drei Fakten zu konstatieren:

Erstens, unser menschgemachter Ressourcenverbrauch liegt exponentiell höher als es die Tragfähigkeit nachwachsender Ressourcen zulässt.

Zweitens, aufgrund der Komplexität ökologischer Systeme können wir nicht auf den Tag genau sagen, wann der Kollaps einzelner Systemressourcen sowie der mögliche Kollaps ganzer Ökosysteme stattfinden wird.

Drittens, auch wenn wir nicht sagen können, wann ein Kollaps bevorsteht, wissen wir – und das ist die relevante Einsicht –, dass es aufgrund der gegenläufigen Kurven von Verbrauch und Regeneration mit mathematischer Gewissheit zum unvermeidlichen Zusammenbruch der Ressourcenbasis kommen wird (Motesharrei et al. 2014; Williams 2012), wenn wir in derselben Weise und Geschwindigkeit weitermachen wie bisher.[12]

Wie das Scheitern CSR-orientierter Vernunftappelle gezeigt hat, kann dieser der ökonomischen Logik entspringende Ressourcenraubbau nur dann unterbrochen werden, wenn aus der inneren Logik der Unternehmen heraus Antriebskräfte gefunden werden, die alternative Strategien der Wettbewerbsvorteile begründen. Diese Antriebskräfte müssen der menschlichen Psychologie des kurzfristigen Erfolges Rechnung tragen. Ihr gemäß ziehen wir zumeist eine kurzfristig erreichbare kleine Belohnung langfristigen großen Belohnungen vor (Shoda et al. 1990; Mischel 2015). Getreu dem Motto, der Spatz in der Hand sei besser als die Taube auf dem Dach, sind deshalb Strategien zu entwickeln, die die ökonomische Logik der kurzfristigen Gewinnerzielung gerade deshalb befriedigen, weil sie dazu beitragen, dass es die Taube und nicht der Spatz ist, den wir am Ende in der Hand halten. Hierzu ist ein mentales Modell zukunftsfähigen Wirtschaftens erforderlich, dass die derzeitigen Vorstellungen von Knappheit, Wettbewerb und unternehmerischer Nutzenstiftung in ein neues Paradigma überführt. Es gründet in den Grundprinzipien der Natur, d. h. den Gesetzmäßigkeiten ökologischer Austauschprozesse, die sich als selbst verstärkende Rückkopplungskreisläufe regional entkoppeln, ausdifferenzieren und multidimensionalen Mehrwert stiften. Gefordert ist deshalb ein Strategieverständnis, das Nachhaltigkeit nicht aus einer auch der Gesellschaft und der Natur verpflichteten humanen Unternehmerverantwortung betreibt, sondern aus einer ökonomischen Perspektive, die begreift, dass daraus die Wettbewerbsvorteile von morgen entspringen. Hierbei genügt es nicht, mit den jüngsten Ergeb-

---

[12] Dass solche Zusammenbrüche nichts Ungewöhnliches sind, zeigen auf eindrucksvolle Weise Jared Diamond (2005) und Colin Woodard (2004). Nico Paech argumentiert deshalb dafür, dass die Lösung zur Vermeidung solcher Kollapse besteht darin, uns vom Überfluss zu befreien (Paech 2012). Das ist zwar wünschenswert und angesichts der Sachlage auch geboten, entspricht aber bei nüchterner Betrachtung kaum unserer menschlichen Natur.

nissen der Harvard-Studie von Khan et al. (2015) darauf hinzuweisen, dass unternehmerische Nachhaltigkeitsbestrebungen sowie Investitionen in CSR sich auch materiell auszahlen. Erfordert ist vielmehr eine Neufassung der zentralen Vorstellungen, wie Märkte und Unternehmen funktionieren und wodurch Unternehmen überlebensfähig werden. Diese Neufassung geht weit über das ökonomische Primat der ertragsfixierten Wohlstandsmehrung hinaus. Aus der Ratio zukunftsfähiger Unternehmensführung abgeleitet, setzt sie nicht auf eine Dominanzstrategie, die durch intelligente Vernetzung und Integration der Wertschöpfungskette die ökonomische Logik selbstbezogener Ertragsziele fortschreibt (Fung et al. 2008), sondern auf den werteorientierten Aufbau von Wertschöpfungskreisläufen, der das schlechte und schädliche Wachstum kurzfristig operierender Geschäftsmodelle durch ein intelligentes Wachstum ersetzt. Es kristallisiert sich in der Logik der Ressourcenschöpfung heraus.

6.3.1 Fünf Naturprinzipien ökonomischer Wertschöpfung

Das Prinzip der Ressourcenschöpfung ist das Grundprinzip der lebenden Natur. Wenden wir uns deshalb kurz der Ökologie zu. Alle ökologischen Prozesse gründen in frei operierenden Kreislaufsystemen. Diese basieren auf fünf Naturprinzipien: *Lokalität, Freiheit, Kleinteiligkeit, Vielfalt* und *Nutzenstiftung*. Dabei bestimmen die dem Kreislaufsystem zur Verfügung stehenden Basisressourcen sowie die im Gesamtsystem kumulierten Nutzenstiftungskreisläufe die Wachstums- und Differenzierungspotenziale des Gesamtsystems.

In ihrer Dynamik einer kontinuierlichen Ausdifferenzierung durch Anpassung und Veränderung werden ökologische Kreislaufsysteme von zwei übergeordneten Gesetzmäßigkeiten getragen. Das *erste systemische Gesetz der Ökologie* besagt, *in Ökosystemen sind auf längere Sicht gesehen nur jene Subsystemen überlebensfähig, die für das Gesamtsystem einen Mehrwert stiften, der über den Eigennutzen hinaus geht, den das Subsystem aus dem Umgebungssystem zieht.* Aus diesem Mehrwertprinzip resultiert das *zweite systemische Gesetz der Ökologie*. Es lautet: *Mehrwertkreisläufe sind Austauschkreisläufe, bei denen der Ressourcengrundstock kontinuierlich wächst. Ökosysteme leben so aus einer umfassenden Ressourcenschöpfung und nicht, wie unsere heutigen Wirtschaftsweisen, aus einer kontinuierlichen Ressourcenzerstörung.*

Wachstum

Reden wir von Wachstum, sind drei Bestrebungen zu unterscheiden, die Wachstumsphänomene treiben:

1. Das Bestreben nach *Differenzierung*. Es beantwortet die Frage „*Was treibt menschliches Wirtschaften an?*"
2. Das Bestreben nach *Rendite*. Es beantwortet die Frage „*Was treibt den Kapitalismus an?*"
3. Das Bestreben nach *Nutzenstiftung*. Es beantwortet die Frage „*Was treibt das Wachstum der Natur an?*"

Symbiose als Treiber der Anreicherung: Die Darwin-Falle

Betrachten wir die Natur, sticht zunächst ins Auge: 99 % aller Arten, die je gelebt haben, sind ausgestorben, „aber gleichzeitig stimmen die Gene von Menschen und Mäusen zu 98 % überein" (Otto et al. 2007, S. 91). Angesichts des in diesen Zahlen zum Ausdruck kommenden Wechselspiels von Veränderung und Bewahrung, stellt sich die Frage wie, warum und nach welchen Kriterien sich Arten kontinuierlich ausdifferenziert haben. Die klassische Antwort, dass es eben die fittesten und befähigtesten Arten waren, die im Wechselspiel von Auswahl (Selektion) und Anpassung (Adaption) die Nase vorne hatten, greift zu kurz. Denn die Erklärung von Selektion und Anpassung gründet in der menschgemachten Vorstellung von Knappheit, Wettbewerb und Kampf. Das aber sind nicht die zentralen Prinzipien der Natur. Nicht Wettbewerb, sondern Symbiose ist die treibende Kraft des Lebendigen (Capra 1996). Nimmt man beispielsweise den menschlichen Organismus, lebt dieser aus einer Symbiose vielfältigster Mikroben und Bakterien, die das Überleben des Organismus erst ermöglichen. Wie Bernhard Kegel mit Bezug auf Gilbert et al. (2012) argumentiert, ist das Konzept des Individuums zugunsten des Konzeptes von Holobionten aufzugeben, d. i. von symbiotischen Systemen, die als solche mit anderen symbiotischen Systemen in mehrwertstiftenden Austausch treten (Kegel 2015, S. 309). Ein weiteres Beispiel sind komplexe Waldwurzelsysteme. Auch hier ist zwischenzeitlich erwiesen, dass Bäume nicht nur in Symbiose mit Mykorrhizen leben und beide nur so gedeihen, Bäume treten über das vielfältige Netzwerk von Pilzfäden auch mit anderen Bäumen und Pflanzen in Austauschbeziehungen, um so ihre wechselweise Überlebensfähigkeit abzusichern (Hachtel 1998).

Die ökonomische *Darwin-Falle* besteht so darin, dass wir die Natur im Verständnis des menschlichen Wettbewerbs beschreiben und mechanistisch im Licht der in Kap. 3 entfalteten Logik der Ökonomie interpretieren (Capra und Luisi 2014). Aber: *das Prinzip der Natur ist nicht Mangel und Knappheit, sondern Überfluss, – Überfluss verstanden als umfassender Rückkopplungskreislauf einer kontinuierlichen substanziellen Mehrwertschöpfung.* Fragen wir nun danach, was Arten dazu befähigt hat, zu überleben, lautet die Antwort nicht, dass sie besser angepasst waren, sondern dass sie für die Umgebungssysteme einen höheren Mehrwert gestiftet haben, als sie aus dem System herauszogen. An Bienen oder Mykorrhizen kann dies verdeutlicht werden. Beide Arten leben in symbiotischen Verhältnissen mit ihren Wirtspflanzen und der Umwelt. Dabei stiften sie für die Umgebungssysteme einen Mehrwert, der bei weitem das übersteigt, was sie für sich selbst aus dem System herausziehen (Glauner 2013). *Symbiotische Mehrwertstiftung ist das Grundprinzip der Natur. Nur deshalb ist das Kreislaufsystem der Natur ein Wachstumskreislauf.* Er lebt nicht davon, dass einzelne Teile in einem energetisch und ressourcentechnisch neutralen Cradle to Cradle-Kreislauf (Braungart und McDonough 2002) erneut genutzt werden, und auch nicht darin, dass ausgemusterte Teile, Gegenstände und Abfälle in einem Upcycling-Prozess wiederverwendet werden (Kay 1994; Pauli 1998; Braungart und McDonough 2013). Er lebt vielmehr davon, dass in Anwendung der fünf Prinzipien ökologischer Ressourcenschöpfung der symbiotische Reigen des Austauschs zu einer kontinuierlichen Anreicherung *der Ressourcenbasis* führt – und zwar sowohl der Anreicherung der zur Verfügung stehenden Biomasse als auch der Anreicherung von vielfältigsten Ausdifferenzierungspotenzialen, die den Wachstumskreislauf nähren und vorantreiben. *Das Wachstum der Natur gründet so in systemischen Mehrwertstiftungen, bei denen die Gesamtnutzenstiftung, die ein Subsystem für das Gesamtsystem leistet, höher ist als der Eigennutzen, den das Subsystem für sich aus ihm zieht. Die Antwort auf die Frage, was eine Art befähigt in einem Ökosystem zu überleben lautet somit: nicht Flexibilität und bessere Anpassungsfähigkeit im Wettbewerb um knappe Ressourcen, sondern Mehrwertstiftung, die das Gesamtsystem intakt hält und wachsen lässt.*

Der Ausgang aus der Darwin-Falle besteht so darin, sich auf die Grundgesetze ökologischer Kreislaufprozesse einzulassen. Statt die Natur im Lichte der Ökonomie, also den mentalen Modellen von Knappheit, Wettbewerb und Überlebenskampf zu interpretieren und Nachhaltigkeit entsprechend im Sinn von Effizienz, Ressourcenschonung und Ressourcenwahrung auszulegen, gilt es, die Ökonomie anhand der ressourcenschöpfenden Wachstumsprinzipien der Natur auszurichten. Hierzu sind mehrwertstiftende Überflusskreisläufe in Gang zu setzen. Anders als der Zero Emission

Ansatz der Blue Economy von Gunter Pauli (2010), die Effizienz- und Nährstoffkreislaufkonzepte von Weizsäcker et al. (1995) und Braungart und McDonough (2013) sowie das Modell geschlossener selbstorganisierender dynamischer Systeme des Lebendigen (Capra und Luisi 2014), geht es hierbei um die offene Organisation von Überfluss-, Teilhabe- und Wachstumsprozessen, die in der Schöpfung von Ressourcen die eigene Überlebensbasis absichern. Die Organisation von solchen Mehrwertkreisläufen orientiert sich deshalb weder an Geschäftsmodellen, die auf Biomimikry setzen (Benyus 1997), noch an Konzepten der Postwachstumsökonomie, die auf Selbstbeschränkung und Wachstumsrücknahme beruhen (Paech 2012), sondern an substanziellen Nutzenstiftungen für die Verantwortungsmärkte von morgen. Hierzu werden in freier und kreativer Anverwandlung der fünf Prinzipien natürlichen Wachstums die Ressourcenschöpfungsprinzipien der Natur auf eigenständige Strategien der Mehrwertstiftung übertragen. *Wachstum wird dabei nicht nur qualitativ, sondern auch quantitativ verstanden als ein Prozess, der die heutige Spirale aus Disruption, Konzentration und Ressourcenraubbau durchbricht, indem er Geschäftsmodelle und Strukturen etabliert, die im Einklang mit den natürlichen und menschgemachten sozialen Umgebungssystemen zu differenzierten, regional entkoppelten und dezentral selbstgesteuerten Wertschöpfungskreisläufen führen.*

Ökonomisches Wachstum als Treiber der Abreicherung: Die Wachstumsfalle

Wenden wir uns vor dem Hintergrund ökologischer Wachstumsprozesse der ökonomischen Wachstumsphilosophie zu. Sie gründet in zwei Bestrebungen, die den Kern der ökonomischen Logik prägen. Die erste ist die menschliche nach Differenzierung, die zweite die ökonomische nach Rendite. Zusammen führen sie in eine Wachstumslogik, die die im Einschubkasten „Mentale Modelle: Die Ökonomisierung der Lebenswelt" beschriebenen Ressourcenraubbauspirale antreibt, die zur breiten *Abreicherung der Ressourcenbasis* führt. Diese Ressourcenraubbauspirale wird von drei Wachstumstreibern getragen: erstens auf der Ebene des Individuums durch das menschliche Bestreben nach Differenzierung, zweitens auf der Ebene des Unternehmens von der Dynamik der Preise, drittens auf der Ebene der Märkte von der Dynamik des Kapitals.

Differenzierung Menschen sind bestrebt, sich voneinander abzugrenzen. Hierbei drücken sie sich symbolisch aus, um auch ohne Worte und Gesten ihren Status zu signalisieren. Im Rahmen der schon mehrfach genannten

Ökonomisierung immer weiterer Lebensbereiche entwickelte sich dabei das Feld von Unternehmen und Märkten zur zentralen Arena für die Symbolproduktion menschlicher Differenzierungen. Hierbei mutierten Reichtum und Macht von Mitteln zur Absicherung der eigenen Existenz zu Symbolen der Differenzierung, die ausschließlich um ihrer selbst willen angestrebt werden. Dies führt zur schon zitierten Konzentration des Reichtums und der Macht (BCG 2015; Brynjolfsson und McAfee 2014; Kocic 2015) sowie dazu, dass die Spirale aus Konzentration, Wachstum und Ressourcenraubbau weiter vorangetrieben wird. Hierbei stehen an der Spitze des Differenzierungsgeschehens jene Manager und Unternehmer, die mit disruptiven Geschäftsmodellen die heutigen Überflussmärkte prägen, indem sie für ihre Konsumenten Produkte entwickeln, mit denen diese sich gegenüber anderen Konsumenten abgrenzen können. Das menschliche Bestreben nach Differenzierung führt so in eine Wachstumsdynamik, die durch Besitz um des Besitzes willen getrieben wird. D.h. der Nutzen vieler Produkte entsteht nur noch dadurch, dass wir mit ihnen zeigen können, dass wir sie haben und wir sie auch deshalb nur begehren.

Preise Auch Unternehmen stehen in einem Sog, der die Spirale aus Wachstum und Ressourcenerosion vorantreibt. Deutlich wird dies am Preisdruck, dem alle Produkte und Dienstleistungen unterliegen. Er entsteht, weil der Wettbewerb sowie Teuerungseffekte dazu führen, dass die Erträge eines Unternehmens über die Zeit erodieren. Benötigt ein Unternehmen zur Aufrechterhaltung einer marktfähigen Infrastruktur, für Investitionen in Neuentwicklungen sowie für den Erhalt der Substanz beispielsweise einen jährlichen Ertrag von 10 % und beträgt die jährliche Teuerung aufgrund von inflationären Effekten, Lohnsteigerungen und Rohstoffteuerungen 3,5 %, kann der angestrebte Ertrag nur dann erwirtschaftet werden, wenn das Unternehmen Preiserhöhungen, Effizienzsteigerungen, Kostenreduktionen oder ein Mengenwachstum an den Tag legt, die diese Teuerung ausgleichen. Bei einem gleichbleibendem Mengenabsatz müsste es somit entweder jährliche Preiserhöhungen von 3,5 % durchsetzen oder auf der Kostenseite jährliche Einsparungen von 3,5 % erzielen. Ist beides nicht realisierbar, wäre ein Mengenwachstum von 46 % im zweiten, 178 % im dritten und 335 % im vierten Jahr erforderlich. Da eine jährliche Preiserhöhung für ein gleichbleibendes Produkt in der Regel im Markt nicht durchsetzbar ist (Simon-Kucher Global Pricing Study 2014) und auch kontinuierliche Kostenreduktionen und Effizienzsteigerungen von 3,5 % p.a. unrealistisch sind, kann der angestrebte Ertrag nur über ein Mengenwachstum oder durch ein qualitatives Upcycling der Produkte mit entsprechender Preisanpassung nach oben erzielt werden. Ist ein Upcycling von Produkt- und Markeneigenschaften nicht möglich – laut Simon-Kucher (2014) floppen 72 % aller Neueinführungen –, bleibt einzig das Mengenwachstum. Dies bedeutet, ein Unternehmen muss exponentiell wachsen, wenn es bei ansonsten gleichbleibenden Parametern über die Zeit hinweg existenzsichernde Erträge erwirtschaften will.

Die Pointe dieser Rechnung besteht nicht im Nachweis der ökonomischen Notwendigkeit, zu wachsen, sondern in der darin angelegten Entwertung der angebotenen Produkte und Dienstleistungen, der die oben beschriebene Abreicherungsspirale aus Konzentration, Preisdruck und Ressourcenraubbau antreibt. Denn heutige Unternehmen bewegen sich in der Regel in Überflussmärkten. Wachstum in Überflussmärkten führt jedoch der Logik nach zu einer Entwertung der angebotenen Produkte und Dienstleistungen, da ein Mehr an Produkten den Preis unter Druck setzt. Diese Entwertungsspirale drückt sich aus im kontinuierlichen Preisverfall[13] sowie spiegelbildlich in der kontinuierlichen Erweiterung von Produkteigenschaften. An Automobilen oder Laptops verdeutlicht: zwar fallen die Preise für Automobile und Computer über die Jahre inflationsbereinigt nicht sonderlich, aber mit jeder neuen Generation werden Zusatzfeatures und höhere Qualitäten angeboten, die in der vorherigen Generation deutlich höhere Marktpreise ermöglicht hätten.

Die in den Unternehmen angelegte Notwendigkeit zu wachsen führt damit zu folgender Spirale einer sich selbst antreibenden Dynamik, die die oben beschriebene Abreicherungsspirale von Konzentration und Ressourcenraubbau antreibt.

---

[13] Die Spirale des Preisverfalls wird an der benötigten Arbeitszeit ablesbar, die ein statistischer Durchschnittsverdiener zu leisten hat, wenn er etwas kaufen möchte. Musste er 1960 beispielsweise für den Erwerb alltäglicher Güter 20 min (1 kg Brot), 39 min (250 gr. Butter), 51 min (10 Eier) und 15 min (1 Flasche Bier) arbeiten, waren 1991 bzw. 2007 für die gleichen Artikel folgender Arbeitsaufwand nötig: für 1 kg Brot elf bzw. zehn Minuten, für 250 gr. Butter sechs bzw. fünf Minuten, für 10 Eier acht bzw. sieben Minuten und für eine Flasche Bier jeweils drei Minuten.
Bei hochwertigen Gütern, wie Kühlschränken, Waschmaschinen und Fernsehern fällt der Preisverfall noch eindrucksvoller aus. Für den Erwerb eines Kühlschrankes mussten 1960, 1991 und 2007 156,5 Stunden bzw. 30 h 27 min bzw. 24 h und 12 min gearbeitet werden. Bei Waschmaschinen waren es 224 h und 30 min (1960), 53 h und 27 min (1991) sowie 35 h und 34 min (2007) und bei Fernsehern 351 h, 38 min (1960), 79 h und 4 min (1991) sowie 23 h und 2 min in 2007. (vgl. http://www.handelsblatt.com/politik/konjunktur/nachrichten/butter-zucker-tageszeitung-tabelle-kaufkraft-der-lohnminute/2937670.html).

- Kontinuierlicher Ertrag ist über die Ausweitung von Absatzmengen abzusichern
  1. Die kontinuierliche Ausweitung von Absatzmengen führt im Wettbewerb zu Preisverfall
  2. Der Preisverfall wird durch ein kontinuierliches Upcycling von Produkten und Dienstleistungen aufgehalten
  3. Die kontinuierliche Weiterentwicklung von Produkten führt zu einer Entwertung der bestehenden Produkte und Dienstleistungen
  4. Die Entwertung bestehender Produkte erfordert die Neuentwicklung von Produkten und Dienstleistungen
  5. Die Neuentwicklung von Produkten benötigt zusätzlichen Ertrag
  6. Zusätzliche Erträge erfordern die erneute Ausweitung von Absätzen

Das Wachstumsproblem von Unternehmen gründet somit in der ökonomischen Zwangslogik, wachsen zu müssen, um Erträge generieren zu können. Dabei trägt die kontinuierliche Weiterentwicklung bestehender und neuer Produkte zur Ausweitung der Angebote und damit zur kontinuierlichen Entwertung der bestehenden Produkte bei.

Rendite – Vom Kapitalismus zum Creditismus Aus Sicht der globalen Finanzmärkte gibt es einen dritten, scheinbar ebenfalls ökonomisch naturnotwendigen Wachstumzwang. Er besteht in der ökonomischen Maxime, dass sich Kapital rentieren muss. Hierbei unterscheiden sich die Markttreiber im Kapitalismus von denen im heutigen Creditismus.

Im Kapitalismus wurden Renditen dadurch abgesichert, dass Banken erfolgsversprechende Geschäftsmodelle finanzierten und sich diese Finanzierung von Unternehmen verzinsen ließen. Treiber für Renditen waren im Kapitalismus somit marktfähige Geschäftsmodelle der Realwirtschaft. Dies hat sich seit der Öffnung der Finanzmärkte für das Investmentbanking und neue Produkte der Bankenfinanzierung geändert. Denn heutige Renditen, beispielsweise aus dem Zerschlagen von Unternehmen oder aus Derivatgeschäften, übersteigen bei weitem die Renditeerwartungen, die aus der Finanzierung der Realwirtschaft erwachsen. Entsprechend hat sich der Finanzierungsfluss verändert.

Anders als zur Hochblüte des Kapitalismus im 20. Jahrhundert sind im heutigen Creditismus vielleicht noch 10–20 % aller abgewickelten Finanztransaktionen an die sogenannte Realwirtschaft gekoppelt. Dabei scheuen Banken immer mehr das Risiko, Unternehmen und die Gründung von

Unternehmen zu finanzieren. Lohnender sind für sie finanzmarktinterne Kredit- und Absicherungsgeschäfte sowie spekulative Börsenwetten auf hochkomplexe Finanzprodukte, Derivate, Bonds, Swaps oder Futures. Als Treiber des Creditismus führen deren Leverage-Effekte dazu, dass sich weltweit ein Polster an Finanzkapital aufgebaut hat, das keine Verankerung in den realen Wertschöpfungsprozessen findet.[14] Selbst die reale Wertschöpfung, wie sie in der Steigerung des weltweiten Brutto-Sozial-Produktes ausgedrückt wird, ist häufig nicht mehr real, da Folgekosten, wie z. B. der Rückbau von Atomkraftwerken, die Beseitigung von Umweltschäden oder die Behandlung von Zivilisationskrankheiten auf das BSP angerechnet werden, obwohl sie faktisch negative Folgekosten sind. Da auch das von der Realwirtschaft entkoppelte Kasinogeld seine täglichen Renditen fordert, führt das frei fließende Überschusskapital zu einer Inflation ausgewählter Werte in der Realwirtschaft – insbesondere bei der Bewertung von Aktien und Unternehmen, sowie von Immobilien und ähnlichen Anlageprodukten. Ob ein Van Gogh eine oder 100 Mio. bzw. eine 100 m² Wohnung in München-Bogenhausen oder in New York City 500.000 €, 2 Mio. € oder $ 10 Mio. wert ist, ist rein fiktiv und bildet nicht die reale Substanz ab. Preise und Bewertungen sind somit lediglich Ausdruck eines Marktdrucks, der aufgebaut wird, weil das frei fließende Kapital Renditen sucht und sich vermehren soll. Da aber auch diese inflationären Märkte letztendlich begrenzt sind, werden immer neue Möglichkeiten für rentable Anlagen gesucht und das Marktwachstum und die Ökonomisierung aller Lebensbereiche vorangetrieben, mit dem Effekt, dass sich die Spirale aus Konzentration und Ressourcenraubbau weiter dreht.

Bleibt festzuhalten: die ökonomische Logik von Knappheit, Wettbewerb und Wachstum führt zu einer Abreicherungsspirale, in der sich der Ressourcenraubbau, das Wachstum und die Konzentration kontinuierlich beschleunigen. Diesem negativen Konzept eines Wachstums ohne Ziel, Zweck und Moral steht ein positives Wachstumskonzept gegenüber, das Konzept des natürlichen Wachstums. Es speist sich aus den Naturprinzipien von Lokalität, Freiheit, Kleinteiligkeit, Vielfalt und Nutzenstiftung und führt zu einer kontinuierlichen Anreicherung der Ressourcenbasis.

---

[14] Auch wenn seit der Finanzkrise in 2008 keine verlässlichen Zahlen mehr von der US-amerikanischen Federal Reserve Bank veröffentlicht wurden, kann davon ausgegangen werden, dass auch heute in den globalen Märkten ein vielfach höheres liquides Kapital fließt, als zur Finanzierung der globalen Realwirtschaft benötigt wird.

Überträgt man das ökologische Prinzip der Ressourcenschöpfung auf Unternehmen, ergibt sich daraus der Weg zu den Wettbewerbsvorteilen von morgen. Zukunftsfähige Wettbewerbsvorteile erwachsen aus Geschäftsmodellen, die den fünf Prinzipien der Natur verpflichtet sind. Sie setzen im umfassenden Sinn der ethischen Wahrheitstafel Ressourcenschöpfungskreisläufe in Gang, die auf die Bewusstseinsmärkte der Zukunft einzahlen.

> These 23: Der Weg zu den Wettbewerbsvorteilen von morgen führt in die Bewusstseinsökonomie.

An zwei Beispielen, dem US-amerikanischen Marktführer Interface und dem neuseeländischen Unternehmen Icebreaker, sei das verdeutlicht:

Interface Inc. ist der Weltmarktführer für modulare Bodenbeläge im Office- und Großgebäudebereich. Die Bodenbeläge werden aus Kunststoffen gewebt. Zur Herstellung des Materials werden umfangreiche Ressourcen an Erdöl und Energie verbraucht. Vor einigen Jahren hat Interface sein Rohstoff-Sourcing auf eine komplett neue Strategie umgestellt. Diese zielt nicht nur darauf ab, nachhaltige Recyclingprozesse in Gang zu bringen, sondern verfolgt zudem die Absicht, auf lokaler Ebene tragfähige ressourcenschöpfende Wirtschaftskreisläufe zu etablieren. Hierzu hat Interface das Projekt „Net-Works" ins Leben gerufen. Net-Works ist ein Teilprojekt der vom Gründer Ray Andersen entwickelten Langfriststrategie Mission Zero. Dies zielt darauf ab, den kompletten Ressourcenverbrauch von Interface zu 100 % mit recycelten oder erneuerbaren Ressourcen zu decken. Im Rahmen dieser Vision kauft Interface mit seinem Net-Works Programm weggeworfene Netze lokaler Fischern und der einheimischen Bevölkerung auf, die im Ökosystem der Meere großen Schaden anrichten würden. Mit der Aufforderung, ausgemusterte Fischernetze zu sammeln, zu verkaufen und in die weltweite Lieferkette zurückzuführen, wird nicht nur der ökologische Schaden im Meer reduziert, sondern die Netze einer zweiten Nutzung zugeführt, die zu einer dritten und vierten Nutzung führen können, da die Teppichwaren selbst recycelbar sind. Noch wichtiger ist, dass Interface mit diesem Programm umweltschonende Einnahmequellen schafft, die die Ökosysteme entlasten und die Gesellschaft bereichern.

Gleiche Effekte erzielt das Geschäftsmodell der in Auckland ansässigen **Icebreaker New Zealand LTD**. Das vor gut 15 Jahren in Neuseeland gegründete Unternehmen bewegt sich im Markt der Sportfunktionswäsche. Es verwendet ausschließlich Wolle von Merinoschafen, die von kleinen Schafzüchtern in naturnaher Weidehaltung gehalten werden. Die Herden werden einzeln geschoren und die Wolle in diesen Losgrößen weiter verarbeitet. In allen Arbeitsschritten, wie Färben, Spinnen, Weben, Nähen achtet Icebreaker darauf, dass Nachhaltigkeitsstandards sowie Arbeitsschutz und faire Entlohnung eingehalten werden. In jedem Kleidungsstück befindet sich eine Nummer, über die der Endkunde im Internet den Entstehungsweg seines Kleidungsstückes bis zurück zur ursprünglichen Schafherde verfolgen kann. Dabei hat die Merinowolle gegenüber Synthetikstoffen vielfältige Produktvorteile, da ausgemusterte Kleidungsstücke nicht nur recyclebar, sondern zusätzlich auch biologisch abbaubar sind. Das Geschäftsmodell von Icebreaker setzt so auf allen Ebenen der Wertschöpfungskette auf substanziell nachhaltige Nutzenstiftung, wobei mit Blick auf die natürlichen Ressourcen der Kreislauf so gestaltet ist, dass die Ressourcenbasis sich kontinuierlich ausweitet. Das aber unterstreicht, dass auch das Geschäftsmodell von Icebreaker den fünf Prinzipien der Natur folgt.

Ressourcenschöpfende Geschäftsmodelle, die den fünf Prinzipien der Natur folgen, sind somit den drei Monopolidealen der ökonomischen Strategieentwicklung diametral entgegengesetzt: anstelle absoluter Marktbeherrschung, vollkommener Vereinnahmung der Wertschöpfungskette sowie der uneingeschränkten Ertragsgestaltung auf Grundlage exklusiver Produkteignerschaft setzen sie auf kooperative Mehrwertkreisläufe zur ganzheitlichen Gestaltung substanzieller Nutzenstiftung. Damit setzen sie einen Kontrapunkt zur kurzfristigen Ertragslogik ökonomischer Raubbauprozesse, die die Überflussmärkte mit Produkten und Dienstleistungen überschwemmen, deren Nutzenpotenzial sich allzu oft im Surrogat des sinnlosen Konsums verliert. Denn in ihrem Fokus auf Befähigung (enabling), Ausweitung und Vernetzung (enhancement) sowie Anreicherung (enrichment) aller Elemente der Wertschöpfungskette setzen ressourcenschöpfende Geschäftsmodelle auf die Organisation von wertschöpfender Teilhabe, d. h. auf ein Wirtschaften, das die Prinzipien der Natur auf der Mikro-, Meso-, Makro- und Supraebene des Ökonomischen umsetzt. Die Mikroebene betrifft das Verhältnis von Unternehmen und Menschen (Mitarbeiter, Kunden, Lieferanten oder Partner), die Mesoebene das von Unternehmen zu Unternehmen (Zulieferer, Abnehmer, sonstige Marktbegleiter und Wettbewerber). Die Makroebene betrifft das Verhältnis von Unternehmen und Umgebungssystemen, seien es externe Stakeholder, die Politik oder die Gesellschaft und die Supraebene schließlich das von Unternehmen und Umwelt.

Wie Interface und Icebreaker, aber auch die Beispiele Hilti und der Dialogue Social Enterprise GmbH zeigen, können ressourcenschöpfende Geschäftsmodelle auf unterschiedliche Bereichsebenen des Wirtschaftens – also auf die Mikro-, Meso-, Makro- und Supraebene – ausgerichtet sein. Zudem kann sich der Wertschöpfungsfokus auf unterschiedliche Aspekte der Triple Bottom Line ökonomischer, ökologischer und sozialer Wertschöpfung konzentrieren. Das eröffnet Unternehmen ausgeklügelte Nischenstrategien, die mittels der klassischen Strategieentwicklungstools, etwa die SWOT-Analyse oder Porters Fünf Kräfte Modell, identifiziert werden können. Es bleibt jedoch dabei, dass die Kennzahl und Messlatte zur Entwicklung solcher ressourcenschöpfender Geschäftsmodelle die Mehrwertschöpfung ist, welche das Gesamtsystem erfährt. Sie ermittelt sich aus

den einzelnen Werten für das Teilhabepotenzial, das Vernetzungs- und Netzwerkpotenzial sowie die Indexwerte für Diversität (Vielfalt), Regionalität, Ressourcenschöpfungspotenzial, den Grad der regionalen Entkopplung und dergleichen mehr.
   Als Beispiele für die Bemessungsgrundlage dieser Kennzahlen dienen drei weitere Unternehmen, das Unternehmen Schamel, die Brauerei Reutberg sowie der
Maschinenbauer Trumpf.

   Die in fünfter Generation geführte **Schamel Meerrettich GmbH & Co. KG**
aus Baiersdorf, Franken, beschäftigt gut fünfzig Mitarbeiter. Zur Absicherung seiner Zukunft hat Schamel die „Schutzgemeinschaft Bayerischer Meerrettich" ins
Leben gerufen. Zusammen mit rd. 100 lokalen Krenbauern hat das Unternehmen
erwirkt, dass dem „Bayerischen Meerrettich" das EU-Prädikat „geschützte geo-
graphische Angabe (g.g.A.)" verliehen wurde. Ziel war es, die bayerische Meer-
rettichkultur mit ihrem regional kleinteiligen Anbau und ihrer besonderen kulinari-
schen Vielfalt zu schützen. Davon profitiert die gesamte Herstellungskette, da die
im Markt erzielten Preise für zertifizierten bayerischen Meerrettich etwa doppelt
so hoch sind wie die Weltmarktpreise. Mit seinem Fokus auf konsequente Qualität und Mehrwertstiftung ist Schamel 2014 als TOP Marke ausgezeichnet worden.
Schon 2007 wurde das Unternehmen zudem als Marke des Jahrhunderts in das
Buch „Deutsche Standards – Marken des Jahrhunderts" aufgenommen. Dort steht
Schamel neben Haribo, Mercedes, Lufthansa, Nivea, Duden, Tempo, Miele oder
Persil. Das Geschäftsmodell und die Nischenstrategie von Schamel weisen sehr
hohe Wertschöpfungswerte in den Bereichen regionale Entkopplung, Aufbau von
Mehrwertkreisläufen sowie ökologisch abgesicherte Produktion auf.

   Nach einer langen Geschichte des Brauens im Frauenkloster Reutberg bei Bad
Tölz wurde die **Klosterbrauerei Reutberg eG** 1924 als Genossenschaft gegründet. Ziel war es, durch genossenschaftliche Rückvergütungssysteme der örtlichen
Bauernschaft günstiges Bier zu beschaffen. Nach wechselvoller Geschichte stand
die Brauerei Ende der 1980er-Jahre vor dem Aus. Der Kern der Genossen fand sich
damals zusammen, um das Fortbestehen der Brauerei zu gewährleisten. Hierzu
wurde ein Finanzierungsmodell entwickelt, bei dem jeder Genosse Anteilsscheine
im Wert von 100 bis 300 DM zeichnen konnte. Unabhängig von der Höhe und
Anzahl der erworbenen Anteilsscheine hatte jeder nur eine Stimme. Der stimmbe-
rechtigte Anteilsschein wurde bei der jährlichen Hauptversammlung mit zwei Maß
Bier und einem Essen naturalverzinst. Dadurch wurde der Anreiz gesetzt, dass die
Anteilsscheine möglichst breit gestreut werden. Bei Austritt erhält der Genosse
seine eingezahlten Anteile zurück. Schon kurz nach dieser Konstruktion standen
die Anteile in der Region und insbesondere bei Münchner Studenten hoch im Kurs.
Den mit einer jährlichen Naturalverzinsung von mehr als 30 % des Nennwertes
zeigte die Einlage eine Verzinsung, die am Wertpapiermarkt ihresgleichen sucht.
Wichtiger jedoch war, dass rund um die im März stattfindende Hauptversammlung ein zehntägiges Volksfest gefeiert wird. Mit ihm eröffnet Reutberg öffent-

lichkeitswirksam den jährlichen Reigen des bayerischen Festkalenders, der in das Oktoberfest mündet. In einem weiteren Schritt haben die Genossen festgelegt, dass die Anzahl der zugelassenen Genossen auf 5200 gedeckelt wird. Nur wenn einer austritt, kann aus der Warteliste ein neuer aufgenommen werden. Mit dieser „Verknappungsstrategie" geht eine regionale Hochpreisplatzierung einher, die weitgehend auf Marketing verzichtet, da die Genossen die zentralen Marken- und Werbeträger sind. Auch Reutberg hat mit dieser Konstruktion einen sich selbst tragenden Wertschöpfungskreislauf entwickelt, der sich regional entkoppelt hat. Hohe Werte zeigt das Unternehmen auch im Bereich multidimensionaler Mehrwertschöpfung. Dagegen verhält es sich im Bereich des Ökologischen marktkonform zu sonstigen konventionellen Marktbegleitern.

Auch einer der Weltmarktführer für Werkzeugmaschinen, Elektrowerkzeuge und Lasertechnik, die in Ditzingen bei Stuttgart ansässige **TRUMPF GmbH + Co. KG**, setzt trotz der globalen Ausrichtung ihrer Geschäftstätigkeit auf Entkoppelungseffekte. So gründete TRUMPF 2014 eine eigene Bank, um sich von den globalen Finanzmärkten zu entkoppeln. Die Aufgabe der Bank bestehe in erster Linie darin, Kunden beim Kauf von TRUMPF-Anlagen kostenadäquat zu finanzieren. Dies führt zum doppelten Effekt, dass Kunden auch in schwierigen Marktlagen eine tragfähige Finanzierung erhalten und zugleich langfristig an TRUMPF gebunden werden können. Die Finanzierungsmöglichkeit stellt dabei lediglich einen weiteren Schritt im Aufbau von partnerschaftlichen Kooperationsnetzwerken dar, da Kunden und TRUMPF schon seit langem in enger Zusammenarbeit neue Produkte entwickeln, die beiden Seiten nutzen, so dass die Weiterentwicklung der Anlagen gemeinsam vorangetrieben wird.

Vergleicht man die genannten Beispiele für den Aufbau von Mehrwertketten, gilt für die Bewertung einzelner Geschäftsmodelle: auf je mehr Ebenen (Mikro, Meso, Makro) und in je mehr Bereichen (Ökonomie, Gesellschaft, Umwelt) ein Geschäftsmodell Mehrwert stiftet, desto trag- und ertragsfähiger, leistungs- und zukunftsfähiger wird es sein. Aus den fünf Naturprinzipien der natürlichen Wertschöpfung ergeben sich die zentralen Aspekte einer zukunftsfähigen Strategieentwicklung, die zu den Wettbewerbsvorteilen von morgen führt:

> ▶ These 24: Zukunftsfähige Unternehmensstrategien sind mehrwertorientierte Wertestrategien zur Entwicklung von Ressourcenschöpfungskreisläufen.

In diesen Ressourcenschöpfungskreisläufen verschränken sich die Weltethos-Werte mit dem konkreten Inhalt eines substanziellen Nutzens, der mehr ist als das Schöpfen von Erträgen. Diese Nutzenstiftung entspringt somit nicht einem von außen herangetragenen Appell an die unternehmerische Verantwortung, sondern der inneren Lebenslogik des Unternehmens, durch den Aufbau von Hochleistungsteams sowie von Geschäftsmodellen für substanzielle Nutzenstiftung zukunftsfähig bleiben zu wollen. Hierzu haben Unternehmen Nutzen zu stiften. Zukunftsfähige Wertestrategien erwachsen aus der Zuspitzung dieses Sachverhalts. Denn angesichts der oben beschriebenen Marktlagen sowie der Probleme, die unser Wirtschaften auf den Meso-, Makro- und Supraebenen der Natur und Gesellschaft zeitigen, müssen sich Unternehmen vergegenwärtigen, dass sie ihre selbstbezogenen Nutzenbestrebungen nur dann langfristig absichern können, wenn diese über die Mühlen einer das Gesamtsystem stärkenden Mehrwertstiftung gelenkt werden. Der Aufbau von mehrwertstiftenden Teilhabekreisläufen wird so zur Basis dafür, dass Unternehmen Wertschöpfung generieren und langfristig absichern können.

6.3.2 Ethikologische Geschäftsmodelle

Geschäftsmodelle, deren Motor eine das Gesamtsystem stärkende Mehrwertstiftung ist, nenne ich mit einem Neologismus *ethikologische Geschäftsmodelle*. Denn sie gründen in einem Verhalten, das ethisch tragfähig ist, insofern es den Weltethos-Werten und den ökologischen Prinzipien der Ressourcenschöpfung verpflichtet bleibt. *Ethikologik* ist somit eine Wertelogik, die unternehmerisches Handeln auf ganzheitliche Ressourcenschöpfung ausrichtet und *Ethikologie* (ethicology) die Wissenschaft des zukunftsfähigen Wirtschaftens. Die Entwicklung und Umsetzung ethikologischer Geschäftsmodelle erfordert den Aufbau einer werteorientierten Unternehmenskultur, die sich zur Entwicklung von mehrwertstiftenden Geschäftsmodellen auf Bewusstseinschöpfungsprozesse konzentriert. *Ethikologisches Handeln zielt darauf ab, durch umfassende Ressourcenschöpfungsprozesse ökonomische Wertschöpfungen in Gang zu bringen, die in ihrer Gesamtressourcenbilanz zu Ressourcenwachstum und nicht zur Vernichtung von Ressourcen führen.*

In dieser Ausrichtung stehen ethikologisch geführte Unternehmen in einer humanistisch geprägten und kritisch aufgeklärten Tradition, die sich in ihrem ökonomischen Handeln den fünf Naturprinzipien ökonomischer Wertschöpfung verpflichtet sieht. Die Ausbildung einer ethikologisch fundierten Kultur der Mehrwertschöpfung umfasst deshalb deutlich mehr als das von Michael Porter und Mark Kramer ins Feld geführte Teilen von Wertschöpfung (Porter und Kramer 2011). Zugleich gilt in Abgrenzung zu Leopold Kohrs Appell an das „menschliche Maß" (Kohr 1983) sowie auch in Abgrenzung des daraus abgeleiteten Mantras des „small is beautiful" (Schumacher 1973) für diese Kultur der Mehrwertschöpfung: nicht die Größe und der räumliche Footprint an sich entscheiden darüber, ob ein System tragfähig ist oder nicht, sondern vielmehr, ob ein Unternehmen als Subsystem seiner Umgebungssysteme für das Ganze tragfähigen Mehrwert und Nutzen schafft. Im Sinne einer ethikologischen Ausrichtung von Unternehmen heißt dies:

*In der Bewusstseinsökonomie mit ihren Bewusstseinsmärkten von morgen werden nur jene Unternehmen überlebensfähig sein, die im ganzheitlichen Sinn natürlicher, gesellschaftlicher und individuell-menschlicher Ressourcen holistische Ressourcenschöpfung betreiben und nicht, wie heute üblich, ihre Geschäftsmodelle auf Prozessen gründen, die im Kern Ressourcen vernichten, indem sie den ökonomischen Prozess von Wachstum, Konzentration und Raubbau noch weiter an-*heizen. Hierzu sind Geschäftsmodelle und Unternehmensorganisationen zu entwickeln, die darauf setzen, tragfähige Mehrwertketten zu etablieren. Tragfähige Mehrwertketten sind vom globalen Ressourcenraubbau entkoppelte Ressourcenschöpfungsprozesse, die zugleich ökonomische, ökologische und gesellschaftliche Wertschöpfung generieren. Ihr Aufbau ist vergleichbar mit der Entwicklung sich selbst tragender Ökosysteme.

Die Taxonomie ethikologischer Geschäftsmodelle

Die Gliederung ethikologischer Geschäftsmodelle erwächst aus einer klassischen Wettbewerbsanalyse. Diese wird jedoch nicht im mentalen Modell der Ökonomie über Knappheit, Wettbewerb und Dominanzstrategien gelenkt, sondern über zwei wirkungsorientierte Indizes, die in ihrer kooperativen Ausrichtung der ethischen Wahrheitstafel, den Weltethos-Werten sowie den fünf Prinzipien natürlicher Wertschöpfung verpflichtet sind.

Der erste Wirkungsindex bewertet das *Teilhabepotenzial* eines Geschäftsmodells. Das Leitkriterium der Teilhabe ergibt sich aus der Frage, wer Teil des Systems ist und wer außerhalb des Systems steht. Am Beispiel der Kundenbeziehung verdeutlicht lautet die Frage: Produziert ein Unternehmen Produkte *für* seine Kunden oder *mit* seinen Kunden? Im ersten Fall stehen die Kunden außerhalb des Systems. Sie sind dann in der Regel Mittel zum Zweck, nämlich dem, für ein Unternehmen Absätze und Erträge zu generieren. Fertigen Unternehmen dagegen Produkte mit ihren Kunden, sind diese Teil des Zweckes, nämlich desjenigen, in kooperativen Vernetzungen gemeinsame Wertschöpfung und Nutzenstiftungen zu generieren. Ebenso können Lieferantenbeziehungen, Geschäftspartnerbeziehungen sowie alle sonstige Stakeholder-Beziehungen unter dem Kriterium der Teilhabe betrachtet werden.

Der zweite Wirkungsindex zur Bewertung ethikologischer Geschäftsmodelle ermittelt das *Mehrwertschöpfungspotenzial*. Das Leitkriterium hierfür ist die Frage, für wen das Geschäftsmodell wo und auf welche Weise Nutzen stiftet. Anhand der ethischen Wahrheitstafel sowie einer Triple Bottom Line-Betrachtung können hier Nutznießer auf der Mikroebene des Verhältnisses von Unternehmen und Menschen, auf der Mesoebene des Verhältnisses von Unternehmen zu Unternehmen, auf der Makroebene des Verhältnisses von Unternehmen und Umgebungssystemen sowie auf der Supraebene des Verhältnisses von Unternehmen und Umwelt identifiziert werden. Dabei kann das Mehrwertschöpfungspotenzial sowohl materiell als auch ideell anhand von Kriterien für spezifische Befähigungs-, Ausweitungs-/Vernetzung- sowie Anreicherungspotenziale ermittelt werden. Diese Bewertung führt in ein Kennzahlensystem, das neben den im Wertecockpit ermittelten Kennzahlen für die Unternehmenskultur (Glauner 2013) Kennzahlen für die ethikologische Performanz des Unternehmens festlegt, darunter beispielsweise Kennzahlen für das Teilhabepotenzial, das Vernetzungs- und Netzwerkpotenzial sowie die Indexwerte für Diversität (Vielfalt), Regionalität, Ressourcenschöpfungspotenzial, den Grad der regionalen Entkoppelung und dergleichen mehr.

Die wirkungsorientierte Analyse ethikologischer Geschäftsmodelle ergibt sich somit aus einer Vektoranalyse des Leistungsgrades, in welchen Bereichen Unternehmen Ressourcen schöpfen. Hierzu sind nicht nur die drei Bereiche des Ökonomischen, Ökologischen und Sozialen getrennt zu betrachten, sondern auch die systemischen Ebenen (Mikro, Meso, Makro und Supra), wo Mehrwerte geschaffen werden, sowie die Mächtigkeit und der Grad der regionalen Entkoppelung. Unter Mächtigkeit ist zu verstehen, wie viele einzelne Elemente des Gesamtsystems (Menschen, Unternehmen und sonstige Betroffene) von der Mehrwert- und Ressourcenschöpfung profitieren, die ein Unternehmen stiftet. Sind es, wie im Beispiel der Klosterbrauerei Reutberg, nur wenige Menschen und Unternehmen, ist die Mächtigkeit gering, sind es dagegen vielfältigste Menschen und Unternehmen, wie im Beispiel von Interface oder Icebreaker, ist die Mächtigkeit der Nutznießer hoch.

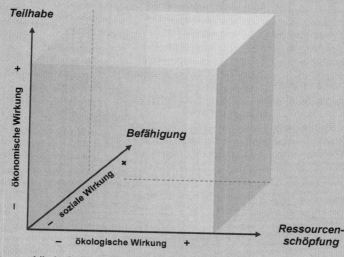

Vektoren ethikologischer Geschäftsmodelle

Wie schon vermerkt, gilt bei dieser Taxonomie zur Bewertung ethikologischer Geschäftsmodelle: das Ressourcenschöpfungspotenzial bemisst sich danach, wie ein Unternehmen Mehrwerte mit Geschäftsmodellen schafft, die den Weltethos-Werten und den fünf Prinzipien der Natur verpflichtet sind. Hierbei gilt, auf je mehr Ebenen (Mikro, Meso, Makro, Supra) und in je mehr Bereichen (Ökonomie, Gesellschaft, Umwelt) für je mehr Beteiligte und Betroffene ein Geschäftsmodell Mehrwert stiftet, desto größer ist sein Ressourcenschöpfungspotenzial und desto trag-, ertrags-, leistungs- und zukunftsfähiger wird es sein.

Unternehmen, die sich dem Prinzip einer ethikologischen Mehrwertschöpfung verpflichten, schaffen mit dem Aufbau ganzheitlicher Mehrwertketten die Grundlage für ihre Überlebensfähigkeit. Unternehmen, die auf einem „weiter so" der bisherigen Wertschöpfung durch Ressourcenvernichtung beharren, beschleunigen dagegen den Weg in den allgemeinen Kollaps und damit in ihren eigenen Untergang.

▶   These 25: Der Weg zu den Wettbewerbsvorteilen von morgen gründet in Wertestrategien zum Aufbau ethikologischer Geschäftsmodelle.

Literatur

Anders G (1956) Die Antiquiertheit des Menschen. Band 1. Über die Seele im Zeitalter der zweiten industriellen Revolution. Beck, München
Arendt H (1951) Elemente und Ursprünge totalitärer Herrschaft. Piper, München (1986)
Arendt H (1964) Eichmann in Jerusalem. Ein Bericht von der Banalität des Bösen 9. Aufl. Piper, München (2011)
Asch SE (1955) Opinions and social pressure. Sci Am 193:31–35
Asch SE (1956) Studies of Independence and Submission to Group Pressures, Psychological Monographs 70, Nr. 416
Badura, B, Greiner W, Rixgens P, Ueberle M, Behr M (2013) Sozialkapital. Grundlagen von Gesundheit und Unternehmenserfolg, 2. erw. Aufl. Springer, Heidelberg
Bauer J (2006) Prinzip Menschlichkeit: Warum wir von Natur aus kooperieren. Heyne, München (2008)
BCG Boston Consulting Group (2015) Global Wealth 2015: Winning the Growth Game. https://www.bcgperspectives.com/content/articles/financial-institutions-growth-global-wealth-2015-winning-the-growth-game/
Benyus JM (1997) Biomimicry. Innovation inspired by nature. William Morrow, New York
Bostrom N (2005) A history of transhumanist thought. J Evol Technol 14:1–25. (http://core.ac.uk/download/pdf/224444.pdf)

Bourdieu P (1982) Die feinen Unterschiede. Kritik der gesellschaftlichen Urteilskraft, 4. Aufl. 1987. Suhrkamp, Frankfurt a. M. (1982)

Braungart M, McDonough W (2002) Cradle to Cradle: Remaking the Way We Make Things. North PointPress, New York (Deutsch. Einfach intelligent produzieren. Cradle to cradle: die Natur zeigt, wie wir die Dinge besser machen können. Berliner Taschenbuch Verlag, Berlin 2003)

Braungart M, McDonough W (2013) The upcycle. Beyond sustainability – designing for abundance. Melcher, North Point Press, New York (deutsch: Intelligente Verschwendung. The Ubcycle: Auf dem Weg in eine neue Überflussgesellschaft. (oekom) München)

Brynjolfsson E, McAfee A (2014) The second machine age. Work, progress, and prosperity in a time of brilliant technologies. Norton, New York

Buckingham M, Clifton DO (2001) Now, Discover Your Strengths: How To Develop Your Talents And Those Of The People You Manage 3. Aufl. Free Press, New York (2007) (Deutsche Fassung: Entdecken Sie Ihre Stärken jetzt. Das Gallup-Prinzip für individuelle Entwicklung und erfolgreiche Führung. Campus, Frankfurt a. M. 2002)

Capra F (1996) The web of life: a new scientific understanding of living systems. Anchor, New York (deutsch: Lebensnetz. Ein neues Verständnis der lebendigen Welt. Schwerz, Bern)

Capra F, Luisi PL (2014) The systems view of life. A unifiying vision 3. Aufl. Cambridge University Press, Cambridge

Dahrendorf R (1995) Economic opportunity, civil society, and political liberty. United Nations Research Institute for Social Development, Genf

Dasgupta P, Serageldin I (Hrsg) (2000) Social capital. A multifaceted perspective. The World Bank, Washington

Diamond J (2005) Collapse. How societies choose to fail or succeed. Viking, Penguin Group, New York

Dierksmeier C (2011) The freedom – responsibility nexus in management philosophy and business ethics. J Bus Ethics 101:263–283. doi:10.1007/s10551-010-0721-9

Dierksmeier C (2012) Thomas Aquinas on justice as a global virtue in business. Bus Ethics Q 22/2:247–272

Dierksmeier C (2013) Kant on virtue. J Bus Ethics. doi 10.1007/s10551-013-1683-5 (Springer-Online)

Dierksmeier C, Amann W, von Kimakowitz E, Spitzeck H, Pirson M (Hrsg) (2011) Humanistic ethics in the age of globality. Palgrave MACMILLAN, Basingstoke

Deloitte Millenial Survey (2015) http://www2.deloitte.com/content/dam/Deloitte/global/Documents/About-Deloitte/gx-wef-2015-millennial-survey-executivesummary.pdf

Dobbs R, Ramaswamy S, Stephenson E, Viguerie SP (2014) Management Intuition for the next 50 years. In: McKinsey Quarterly, S 1 (http://www.mckinsey.com/insights/strategy/management_intuition_for_the_next_50_years)

Durkheim E (1912) Die elementaren Formen des religiösen Lebens, 3. Aufl. 1984. Suhrkamp, Frankfurt a. M. (1981)

Durkheim E, Mauss M (1901/1902) Über einige primitive Formen von Klassifikation. Ein Beitrag zur Erforschung der kollektiven Vorstellungen. In: Durkheim E (Hrsg) Schriften zur Soziologie der Erkenntnis. Suhrkamp, Frankfurt a. M., S 167–256 (1987)

Ferrando F (2013) Posthumanism, Transhumanism, Antihumanism, Metahumanism, and New Materialisms. In: Existenz 8/2, S 26–32 (2013)

Fisher R, Shapiro D (2005) Beyond reason. Using emotions as you negotiate. Penguin, London (2006)

Fisher R, Ury W, Patton B (1981) Getting to yes. Negotiating an agreement without giving in, 15. Aufl. 1999. Random House, London

FM- 2030 (1989) Are you a transhuman?: monitoring and stimulating your personal rate of growth in a rapidly changing world. Warner Books, New York

Fung, VK, Fung WK, Wind Y (Jerry) (2008) Competing in a flat World. Building enterprises for a borderless world. Pearson, Upper Saddle River

Gilbert SF, Sapp J, Tauber AI (2012) A symbiotic view of life: we have never been individuals. Q Rev Biol 87. doi:10.1086/668166 325â341

Glasl F (1980) Konfliktmanagement. Ein Handbuch für Führungskräfte, Beraterinnen und Berater, 11. Aufl. Haupt, Bern (2013)

Glauner F (1997) Sprache und Weltbezug, 2. Aufl. 1998 Alber, Freiburg

Glauner F (2013) CSR und Wertecockpits. Mess- und Steuerungssysteme der Unternehmenskultur. Springer, Berlin

Glauner F (2014) Ethics, values and corporate cultures. A Wittgensteinian approach in understanding corporate action. Paper delivered at the International CSR, Sustainability, Ethics & Governance Conference, London, UK (University of Surrey, Guildford) August 14–16 2014) to be published in the Proceedings

Glauner F (2016) Werteorientierte Organisationsentwicklung. In: Schram, B, Schmidpeter R (Hrsg) CSR und Organisationsentwicklung. Springer, Berlin

Glauner F (2015a) Zukunftsfähige Unternehmensplanung. In: Brauwelt 13/2015, Jg. 155. Hans Carl, Nürnberg, S 360–362

Glauner F (2015b) Werteorientierte Unternehmensführung. In: Brauwelt, 21–22/2015, Jg. 155. Hans Carl, Nürnberg, S 616–618

Gohl C (2011) Prozedurale Politik am Beispiel organisierter Dialoge. Lit, Münster

Grande E (2012) Governance-Forschung in der Governance-Falle? – Eine kritische Bestandsaufnahme. Polit Vierteljahresschr 53(4):565–592

Gray ER, Balmer JMT (1998) Managing corporate image and corporate reputation. Long Range Plan 31(5):695–702

Habisch A, Schwarz C (2012) CSR als Investition in Human- und Sozialkapital. In: Schneider A, Schmidpeter R (Hrsg) Corporate social responsibility. Verantwortungsvolle Unternehmensführung in Theorie und Praxis. Springer, Berlin, S 113–133

Hachtel W (1998) Mykorrhiza vermittelt Stofftransfer zwischen Waldbäumen. In: Spektrum der Wissenschaft 4/1998, 25 (http://www.spektrum.de/magazin/mykorrhiza-vermittelt-stofftransfer-zwischen-waldbaeumen/824505)

Hemel U (2007) Wert und Werte. Ethik für Manager – Ein Leitfaden für die Praxis. Hanser, München

Hemel U (2013) Die Wirtschaft ist für den Menschen da. Vom Sinn und der Seele des Kapitals. Patmos, Ostfildern

Hicks D (2011) Dignity. The essential role it plays in resolving conflict, 2. Aufl. 2013. Yale University Press, New Haven

Hughes J (2004) Citizen Cyborg: why democratic societies must respond to the redesigned human of the future. Westview Press, Boulder

Hummel K (2015) Persönlichkeitsanalyse. Deine Sprache verrät dich. Frankfurter Allgemeine Zeitung, 20.5.2015 (http://www.faz.net/aktuell/gesellschaft/menschen/software-erkennt-persoenlichkeit-mit-sprachanalyse-13596216.html)

Hunt V, Dennis L, Sara P (2015) Why diversity matters. In: McKinsey Insights (http://www.mckinsey.com/insights/organization/why_diversity_matters)

Hutton JG, Goodman MB, Alexander JB, Genest CM (2001) Reputation management: the new face of corporate public relations? Public Relat Rev 27(3):247–261

Huxley J (1957) Transhumanism In: Huxley J (Hrsg) New bottles for new wine. Chatto & Windus, London, S 13–17

Kant I (1781/1787) Kritik der reinen Vernunft. Meiner, Hamburg (1956, Nachdruck 1971)

Kant I (1785) Grundlegung zur Metaphysik der Sitten. Werke in sechs Bänden, Bd. IV. Wilhelm Weischedel, Darmstadt, S 11–102 (1965)

Kant I (1799) Kritik der Urteilskraft. Meiner, Hamburg (1974)

Kay T (1994) Salvo in Germany. In: Salvo Monthly No. 23, S 11–14 (http://www.salvoweb.com/files/salvonews/sn99v3.pdf#page=11)

Kegel B (2015) Die Herrscher der Welt. Wie Mikroben unser Leben bestimmen. Dumont, Köln

Khan M, Serafeim G, Yoon A (2015) Corporate sustainability: first evidence on materiality. Working Paper. Harvard Business School, Cambridge, S 15–073

von Kimakowitz E, Pirson M, Spitzeck H, Dierksmeier C, Amann W (Hrsg) (2010) Humanistic management in practice. Palgrave MACMILLAN, Basingstoke

Kocic A (2015) Work crisis – a divided tale of labour markets. In: Deutsche Bank Konzept. Reflections on unusual issues, S 46–53. https://www.dbresearch.de/PROD/DBR_INTERNET_DE-PROD/PROD0000000000357626/Konzept+Issue+05.pdf

Kohlberg L (1995) Die Psychologie der Moralentwicklung. Suhrkamp, Frankfurt a. M.

Kohr L (1983) The Eve of 1984. Rede zur Verleihung des Right Livelihood Award (alternativer Nobelpreis) am 9. Dezember 1983 in Stockholm. In: Leopold Kohr-Akademie: Susanna Vötter-Dankl, Christian Vötter, Neukirchen am Großvenediger (Hrsg). Austria 2013

Küng H (2012) Handbuch Weltethos. Eine Vision und ihre Umsetzung. Piepe, München

Leisinger KM (2014) Global values for global development. Working Pape pepared to the conferences of the Sustainable Development Solutions Network (SDSN) and of the UN Global Compact LEAD Initiative in September 2014

Maturana HR (1970) Biologie der Kognition. In: Erkennen MH (Hrsg) Die Organisation und Verkörperung von Wirklichkeit. Vieweg, Braunschweig, S 32–80 (1982)

Maturana HR (1976) Biologie der Sprache: die Epistemologie der Realität. In: Erkennen MH (Hrsg) Die Organisation und Verkörperung von Wirklichkeit. Vieweg, Braunschweig, S 236–271

Maturana HR (1978) Kognition. In: Schmidt SJ (Hrsg) Der Diskurs des radikalen Konstruktivismus 2. Aufl. 1988. Suhrkamp, Frankfurt a. M., S 89–118 (1987)

Milgram S (1974) Obedience to authority. An experiment view. Harper & Row, New York

Mischel W (2015) The marshmallow test. Mastering self-control. Little Brown, New York. (Deutsch: Der Marshmallow-Test. Willensstärke, Belohnungsaufschub und die Entwicklung der Persönlichkeit. Siedler, München)

More M (2013) The philosophy of Transhumanism. In: More M, Vita-More A (Hrsg) The Transhumanist reader: classical and contemporary essays on the more science, technology, and philosophy of the human future. Wiley-Blackwell, Chichester, S 3–17. http://media.johnwiley.com.au/product_data/excerpt/10/11183343/1118334310-109.pdf

Motesharrei S, Jorge R, Eugenia K (2014) Human and Nature Dynamics (HANDY: modeling inequality and use of resources in the collapse or sustainability of societies. Ecol Econ 101:90–102. doi:10.1016/j.ecolecon.2014.02.014

Neitzel S, Welzer H (2011) Soldaten. Protokolle vom Kämpfen, Töten und Sterben, 4. Aufl. Fischer, Frankfurt a. M.

Ostrom E (2000) Social capital: a fad or a fundamental concept. In: Partha D, Ismail S (Hrsg) Social capital. A multifaceted perspective. The World Bank, Washington, S 172–214

Otto K-S, Nolting U, Bässler C (2007) Evolutionsmangagement. Von der Natur lernen: Unternehmen entwickeln und langfristig steuern. Hanser, München

Paech N (2012) Befreiung vom Überfluss: Auf dem Weg in die Postwachstumsökonomie. Oekon, München

Pauli G (1998) Upsizing: the road to zero emissions. Greenleaf, Sheffield (deutsch: UpCycling. Wirtschaften nach dem Vorbild der Natur für mehr Arbeitsplätze und eine saubere Umwelt. Riemann, Berlin 1999)

Pauli G (2010) The blue economy. 10 years, 100 innovations, 100 Mio. Jobs. Paradigm, Taos

Porter ME, Mark R (2011) Kramer: shared value. How to reinvent capitalism – and unleash a wave of innovation and growth. Harv Bus Rev 1:62–77

Savulescu J, Bostrom N (Hrsg) (2009) Human enhancement. Oxford University Press, Oxford

Schumacher EF (1973) Small is beautiful. A study of economics as if people mattered. Blond & Briggs, London

Sennett R (2007) Die Kultur des neuen Kapitalismus. Berliner Taschenbuch Verlag, Berlin

Shoda Y, Mischel W, Peake PK (1990) Predicting adolescent cognitive and self-regulatory competencies from preschool delay of gratification: identifying diagnostic conditions. Dev Psychol 26:978–986

Simon-Kucher (2014) Global Pricing Study 2014. Simon-Kucher & Partners, Strategy & Marketing Consultants, Bonn

Suchanek A (2001) Ökonomische Ethik, 2. Überarbeitete und erweiterte Aufl. 2007. Mohr Siebeck UTB, Tübingen

Suchanek A (2012) Vertrauen als Grundlage nachhaltiger unternehmerischer Wertschöpfung. In: Schneider A, Schmidpeter R (Hrsg) Corporate social responsibility. Verantwortungsvolle Unternehmensführung in Theorie und Praxis. Springer Berlin, S 55–66

Ulrich P (1986) Transformation der ökonomischen Vernunft. Fortschrittsperspektiven der modernen Industriegesellschaft. Haupt, Bern

Ulrich P (1997) Integrative Wirtschaftsethik. Grundlagen einer lebensdienlichen Ökonomie, 4. Aufl. 2008. Haupt, Bern

Ury W (1991) Getting past No. Negotiating in difficult situations. Bantam Books, New York und Random House, Toronto (1993)

Villhauer B (2015) Finanzmarktkriminalität und Ethik. Erscheint. In: Zoche P, Kaufmann S, Arnold H (Hrsg) Grenzenlose Sicherheit? – Gesellschaftliche Dimensionen der Sicherheitsforschung. Reihe: Zivile Sicherheit. Schriften zum Fachdialog Sicherheitsforschung. Lit, Berlin

Vinge V (1993) The coming technological singularity: how to survive in the post-human era. (http://www-rohan.sdsu.edu/faculty/vinge/misc/singularity.html) (Originally in Vision-21: Interdisciplinary science and engineering in the era of cyberspace, Landis GA (Hrsg) NASA Publication CP-10129, S 11–22)

Watzlawick P (1976) Wie wirklich ist die Wirklichkeit. Wahn – Täuschung – Verstehen, 21. Aufl. 1993. Piper, München

Weizsäcker EU von, Lovins AB, Lovins LH (1995) Faktor Vier. Doppelter Wohlstand – halbierter Verbrauch. Droemer Knaur, München

Wieland J (2001) Eine Theorie der Governanceethik. Z Wirtsch- Unternehmensethik 2(1). (www.zfwu.de/index.php?id=491)

Wieland J (2002) WerteManagement und Corporate Governance. KIeM – Working Paper Nr. 03/2002. Konstanz Institut für WerteManagement. (http://opus.htwg-konstanz.de/files/12/Working_Paper_03_2002_Wertemanagement_und_Corporate_Governance.pdf)

Williams JN (2012) Humans and biodiversity: population and demographic trends in the hotspots. Popul Environ 34:510–523 (2013). doi:10.1007/s11111-012-0175-3

Wittgenstein L (1989) Werkausgabe Bd. 1. Tractatus logico-philosophicus. Philosophische Untersuchungen. Suhrkamp, Frankfurt a. M.

Woodard C (2004) The lobster coast. Rebels, rusticators, and the struggle for a forgotten frontier. Penguin, New York

Fassen wir die bisherigen Argumente, Beispiele und Thesen zusammen, erschließt sich das große Bild. Zukunftsfähiges Wirtschaften und damit zukunftsfähige Unternehmensführung benötigen ein anderes mentales Modell, als jenes, das uns die heutigen Wirtschaftswissenschaften lehren. Kontrapunktisch gesprochen leitet es sich aus den zentralen Faktoren ab, die die heutige Beschleunigungsspirale der global entgrenzten Märkte antreiben. Davon ausgehend ist auch das mentale Modell der gängigen Verantwortungslogik zurückzuweisen, das von den Adepten der Wirtschaftsethik entwickelt wurde, um den Ressourcenraubbau heutigen Wirtschaftens zu brandmarken. Nimmt man alles zusammen, steht ein Paradigmenwechsel an, der unsere zukünftigen Vorstellungen von Nachhaltigkeit, unternehmerischer Verantwortung, Wettbewerbsvorteilen, zukunftsfähiger Unternehmensführung und Strategieentwicklung verändert, indem er unsere heutigen Vorstellungen der Ökonomie und Unternehmensführung auf den Prüfstand stellt. Dieser Paradigmenwechsel betrifft unsere Wahrnehmung sowohl der ökonomischen Theoriebildung als auch von Märkten, der Kriterien guter Unternehmensführung, des Aufbaus von Wettbewerbsvorteilen sowie der Maßstäbe und Kriterien für unternehmerischen Erfolg. Damit wirft er ein Licht darauf, welche Kernkompetenzen die Zukunft sichern, sowie darauf, worin eine zukunftsfähige Wirtschaftsordnung und eine zukunftsfähige Unternehmensführung bestehen.

Um diese Punkte zu ordnen, ist es sinnvoll, nochmals das zentrale Faktum heutigen Wirtschaftens zu rekapitulieren: unser ökonomisch induziertes Modell des Wirtschaftens lebt aus den Vorstellungen von Knappheit, Wettbewerb und Wachstum, die es in freien Märkten wohlstandsmehrend auszutarieren gilt. Politik hat in diesen Märkten lediglich eine regulierende Funktion, damit das freie Spiel der Kräfte nicht in ihr Gegenteil umschlägt und zu Wohlstandsverlusten führt. Im Wettbewerb zielt die ökonomische Logik unternehmerischer Strategieentwicklung selbst in ihren kooperativen Varianten einer Win-Win-gesteuerten Ausgestaltung

© Springer-Verlag Berlin Heidelberg 2016
F. Glauner, *Zukunftsfähige Geschäftsmodelle und Werte*,
DOI 10.1007/978-3-662-49242-0_7

von Geschäftsbeziehungen auf die Beherrschung des Marktes (Kunden und Wettbewerber), der Wertschöpfungskette (Lieferanten und Kunden) sowie der Produkt- und Preisgestaltung, um Alleinstellungsmerkmale, Wettbewerbsvorteile und Renditepotenziale möglichst langfristig für das Unternehmen zu sichern. Strategie und Taktik erweisen sich in dieser Logik als Mittel zur Generierung selbstbezogener Ertragsziele. Aus ihr heraus erwächst ein Wettbewerbsdenken, das in der Realität zu einer sich immer weiter aufschaukelnden Spirale von Wachstum, Beschleunigung, Entgrenzung, Preisverfall, Disruption, Konzentration und Ressourcenraubbau führt. Hierbei erodieren die Grundlagen einer vielfältigen, freien und kleinteilig organisierten Wertschöpfungsstruktur und damit die Grundlagen des eigenen Wirtschaftens.

Vor diesem Hintergrund wurde ein Paradigma zukunftsfähigen Wirtschaftens entwickelt, dass aus der Mikrologik des einzelunternehmerischen Handelns danach fragt, was Unternehmen zukunftsfähig werden lässt. Die Antwort lautet: die Entwicklung ethikologischer Geschäftsmodellen für die Verantwortungsmärkte der Bewusstseinsökonomie von morgen. Ethikologische Geschäftsmodelle setzen auf Ressourcenschöpfungsprozesse, die den fünf Prinzipien natürlicher Wertschöpfung verpflichtet sind. Im Gegensatz zu den vielfältigen heutigen Geschäftsmodellen, die im knappheitsfixierten Wettbewerb die Abreicherungsspirale des heutigen Wirtschaftens treiben, organisieren ethikologische Geschäftsmodelle Anreicherungskreisläufe. Dadurch legen sie die Basis für ein Wachstum, das die Spirale aus Konzentration und Ressourcenraubbau durchbricht, indem es auf vielfältigste Weise wertschöpfende Teilhabe organisiert, die in eine Spirale der umfassenden Mehrwertstiftung mündet.

Das Konzept ethikologischer Geschäftsmodelle ersetzt so die zentralen Paradigmen der Ökonomie und CSR-Logik durch Vorstellungen, die das mentale Modell zukunftsfähigen Wirtschaftens bilden. Dabei erweisen sich diese anhand der dargelegten Unternehmensbeispiele auch in der heutigen ökonomischen Ertragslogik als erfolgswirksam.

Im Einzelnen sind es folgende Paradigmen, die das mentale Modell der Zukunftsfähigkeit von Unternehmen und der Wirtschaft tragen:

1. *Das Paradigma von wertschöpfender Vielfalt und Überfluss.* Es verändert die ökonomischen Paradigmen von Knappheit, Wettbewerb und Wachstum.

Im mentalen Modell der Ökonomie ist die Organisation von Knappheit eines der zentralen Motive für unternehmerisches Handeln und das Streben nach Wachstum dessen Folge. Im unterstellt freien Spiel der Märkte führt sie zu wirtschaftlichem Wohlstand und dieser wiederum zu Wachstum. Als Treiber der Wettbewerbslogik führen die Paradigmen von Knappheit, Wettbewerb und Wachstum dazu, dass unternehmerisches Handeln eine Ressourcenraubbauspirale triggert, die ihrerseits zu einer beschleunigten Konzentrationsdynamik führt, welche die Grundlagen eines breit abgesicherten Wohlstands erodieren lässt.

Ethikologische Geschäftsmodelle ersetzen die ökonomischen Konzepte von Knappheit, Wettbewerb und Wachstum durch ein Verständnis der natürlichen Mehrwertstiftung in den Verantwortungsmärkten von morgen. Sie durchbrechen die Ressourcenraubbauspiralen der heutigen Überflussmärkte, indem sie in Anlehnung an die Wachstumsprozesse der Natur Anreicherungs- und Befähigungsprozesse in Gang setzen, die wertschöpfende Teilhabe organisieren. Natürliche Überflussprozesse werden durch substanzielle Mehrwertstiftungen gesteuert, die die Akteure eines Systems in das Gesamtsystem einbringen und so das Gesamtsystem ressourcenschöpfend wachsen lassen.

Die *strategische Leitfrage* des Paradigmas von wertschöpfender Vielfalt und Überfluss lautet: *Mit welchen Verfahren und Maßnahmen kann mein Unternehmen wie, wo und für wen Prozesse in Gang setzen, die wertschöpfende Vielfalt fördern und sichern?*

2. Das Paradigma substanzieller Mehrwertstiftung. Es verändert das betriebswirtschaftliche Paradigma der Differenzierung sowie das CSR-Paradigma der unternehmerischen Triple Bottom Line Verantwortung.

Das betriebswirtschaftliche Paradigma der Differenzierung lautet „*Be different or die!*". Es besagt, dass erfolgreiche Differenzierungsstrategien der Königsweg sind, um dem Druck auf Margen zu entgegnen. Ausgelöst durch den technologischen Wandel und die Globalisierung führt das Streben nach Differenzierung in eine Beschleunigungsdynamik, die die heutigen Überflussmärkte mit immer neuen Produkten und Sinnsurrogaten flutet und so die Abreicherungsspirale aus Konzentration und ressourcenraubbauendem Wachstum antreibt. Sie lässt den Ruf laut werden, dass Unternehmen für die Folgen verantwortlich zu machen sind, die unsere Wirtschaftsweisen auf den Makro- und Supraebenen der Gesellschaft und Natur verursachen.

Ethikologische Geschäftsmodelle setzen mit dem Paradigma substanzieller Mehrwertstiftung dem Streben nach Differenzierung und dem Ruf nach Verantwortung ein entschiedenes „*Be valuable or die!*" entgegen. „Wertvoll sein" bedeutet in dieser Sichtweise, dass Unternehmen mit ihren Produkten und Dienstleistungen einen Nutzen stiften, der mehr umfasst, als selbstbezogene Ertragsziele. Solche mehrwertstiftenden Nutzenziele führen zu Anreicherungsprozessen der Befähigung, die in eine breit gefächerte wertschöpfende Teilhabe sowie den Aufbau von Ressourcen münden. Von diesen Anreicherungsprozessen des Ressourcenaufbaus profitieren auch Akteure, die außerhalb der unmittelbaren Wertschöpfungskreisläufe eines Unternehmens liegen, ohne dass Unternehmen mit von außen auferlegten umfangreichen Governanceregelungen belegt werden müssten.

Die *strategische Leitfrage* des Paradigmas substanzieller Mehrwertstiftung lautet: *Mit welchen Produkten und Dienstleistungen schafft mein Unternehmen wo, für wen, wie und wodurch einen substanziellen Nutzen?*

3. *Das Paradigma der Symbiose.* Es verändert das ökonomische Paradigma des Wettbewerbs.

Das Paradigma des Wettbewerbs lebt aus der Logik des Kampfes. Selbst Win-Win-Strategien werden darin in kooperative Verfahren zur Absicherung selbstbezogener Ziele umgemünzt.

Ethikologische Geschäftsmodelle setzen der Strategielogik von Wettbewerb, Kampf und Dominanz ein Kooperationsverständnis entgegen. Sie begreifen, dass angesichts der heute wirkenden Abreicherungs-, Konzentrations- und Ressourcenraubbauprozesse nur noch solche Unternehmen überlebensfähig sein werden, die entkoppelte Wertschöpfungskreisläufe in Gang setzen, welche auf breiter Basis zum Aufbau der Ressourcen führen, aus denen das Unternehmen, seine Umgebungssysteme und das Gesamtsystem lebt.

Die *strategische Leitfrage* des Paradigmas der Symbiose lautet: *Mit wem kann mein Unternehmen wo, wie und mit welchen Leistungen in Symbiosen treten, die zu einer Wertschöpfung führen, die das Gesamtsystem tragen, fördern und teilhabeorientiert ausdifferenzieren?*

4. *Das Paradigma der Anreicherung.* Es verändert das ökonomische Paradigma der Wettbewerbsvorteile.

Das ökonomische Paradigma der Wettbewerbsvorteile lebt aus der Logik von Differenzierung und Kampf, militärisch gesprochen aus dem Vorteil von exklusiven Fähigkeiten, Mitteln und Wegen, die eine ertragssteigernde Abgrenzung und Alleinstellung ermöglichen. Das wirtschaftliche Bild hierfür ist die Fähigkeit, kollektive Wasser so zu lenken, dass sie über die eigenen Mühlen fließen. Der größte Wettbewerbsvorteil besteht demnach nicht darin, aus Kundensicht bessere Produkte und Dienstleistungen, eine stärkere Marke oder tragfähigere Kundenbeziehungen vorhalten zu können, sondern in der Fähigkeit, kollektive Ressourcen für die eigene Alleinstellung zu nutzen.

Ethikologische Geschäftsmodelle setzen dieser selbstbezogenen Perspektive der Vorteilsnahme und Vorteilsgewährung ein Beteiligungsmodell entgegen, das die Betroffenen zu Beteiligten macht. Produkte und Dienstleistungen werden in diesen Geschäftsmodellen nicht für und durch Menschen und Unternehmen entwickelt, die außerhalb der unternehmerischen Wertschöpfungsperspektive stehen, sondern mit Lieferanten und mit Kunden, die ein eigenständiger Teil der unternehmerischen Wertschöpfungsperspektive sind. Das zentrale Augenmerk der Anreicherung lautet Befähigung (Enabling), Ausweitung (Enhancement), Integration sowie Verdichtung (Enrichment). Dabei werden alle Elemente innerhalb des Gesamtsystems in ihren eigenen Zwecksetzungen befähigt und die Ausgestaltung von Fremdnutzenstiftungen zur Basis der Eigennutzenstiftung. Das Paradigma der Anreicherung setzt somit den Wettbewerbsstrategien der Aus- und Abgrenzung eine Strategie der Einbeziehung entgegen.

Die *strategische Leitfrage* des Paradigmas der Anreicherung lautet: *Mit welchen Partnern kann mein Unternehmen mit welchen Maßnahmen, Prozessen und Leistungen in welchen Bereichen, Märkten, Ebenen Akteure so befähigen, dass eine gemeinsame Wertschöpfung entsteht, die zu Ressourcenwachstum führt?*

5. *Das Paradigma der Bewusstseinsschöpfung.* Es verändert das ökonomische Paradigma der Kernkompetenzen.

Kernkompetenzen sind in der ökonomischen Logik das Tafelsilber des Unternehmens. Als zentrale Treiber zur Ausgestaltung tragfähiger Wettbewerbsvorteile sollen Kernkompetenzen nach Möglichkeit nicht einsehbar, (kurzfristig) kopierbar sowie käuflich und handelbar sein. Die Entwicklung solcher Kernkompetenzen ist so das Herzstück einer Wettbewerbslogik, die auf Knappheit, Abgrenzung, Ausgrenzung und selbstbezogenen Ertrag eingeschworen ist.

Das Paradigma der Bewusstseinsschöpfung setzt dem Paradigma exklusiver Kernkompetenzen das Faktum entgegen, dass erfolgreiche Geschäftsmodelle für die Verantwortungsmärkte von morgen auf die Organisation von Austauschprozessen, Mehrwertkreisläufen und Ressourcenschöpfungsprozessen auszurichten sind. Dies erfordert die Entwicklung einer Unternehmenskultur, in der Befähigung, Nutzenstiftung, Kooperation, Kommunikation und Vernetzung zentrale Treiber sowohl für den Aufbau von Sozialkapital als auch die Ausgestaltung von Hochleistungsteams für substanziell Nutzen stiftende Geschäftsmodelle sind. Solche Bewusstseinsschöpfung lebt aus der Einsicht, dass dort, wo alles offen zutage liegt, nichts kopiert werden kann. Denn ein Kopieren solcher bewusstseinsschöpfender Unternehmenskulturen reichert den Prozess der Bewusstseinsbildung und Ressourcenschöpfung nur noch weiter an, so dass das Kopieren Teil eines sich selbst verstärkenden Prozesses wird, der in die Bewusstseinsökonomie der Zukunft führt.

Die *strategische Leitfrage* des Paradigmas der Bewusstseinsschöpfung lautet: *Wie kann ich in und mit meinem Unternehmen wen, wo, wie so befähigen, dass eine Innovations-, Kreativitäts- und Verantwortungskultur der Mehrwertschöpfung entsteht, die das Unternehmen zum unverzichtbaren Herzstück wertschöpfender Austauschprozesse macht?*

6. **Das Paradigma der Bewusstseinsökonomie.** Es verändert die ökonomischen Paradigmen von Wertschöpfung und Wohlstand sowie das betriebswirtschaftliche Paradigma der Strategieentwicklung.

Die ökonomischen Paradigmen von Wertschöpfung und Wohlstand besagen, dass der freie Wettbewerb in der Organisation (Allokation) von Knappheit zu gesellschaftlichem Erfolg, d. h. Wachstum, Fortschritt und Wohlstand führt. Ausgedrückt im BIP (Bruttoinlandsprodukt) nährt sich dieser Wohlstand aus unternehmerischem Erfolg (Ertrag), wobei der Wettbewerb Unternehmen dazu anspornt, immer bessere Produkte und Dienstleistungen zu immer besseren Konditionen anzubieten, wenn sie in diesem bestehen wollen. Aus dieser Wettbewerbslogik leitet sich das betriebswirtschaftliche Paradigma der Strategieentwicklung ab. Es besagt, dass im Wettbewerb nur jene Unternehmen erfolgreich sein werden, die ihre Mittel, Organisation, Produkte und Dienstleistungen so einsetzen und ausrichten, dass das Unternehmen schneller, effizienter und besser als der Wettbewerber auf veränderte Marktlagen reagieren kann. Zusammen genommen führen diese Paradigmen dazu, dass unternehmerisches Handeln eine Beschleunigungs- und Entgrenzungsspirale in Gang setzen, die zur Ökonomisierung immer weiterer Bereiche der Lebenswelt führen. Dabei führen die heutigen global wirkenden ökonomischen Prozesse faktisch in eine Wachstumsspirale, die den überproportionalen Zuwachs des Wohlstandes in der Hand von immer weniger Akteuren (Menschen, Unternehmen) konzentriert und dabei eine breit angelegte Abreicherungsspirale von Teilhabe- und Vielfaltsstrukturen sowie den global zur Verfügung stehenden Ressourcen in Gang setzen. Wertschöpfung und Wohlstandsmehrung droht sich darin Zug um Zug in ihr Gegenteil zu verkehren.

Das Paradigma der Bewusstseinsökonomie setzt dieser Logik das Paradigma ethikologischer Geschäftsmodelle entgegen. Diese durchbrechen die Abreicherungs-, Konzentrations- und Ressourcenraubbauspiralen, indem sie Ressourcenschöpfungskreisläufe in Gang setzen, die den fünf Prinzipien natürlichen Wachstums verpflichtet sind. Anstatt mit rein ökonomischen Leistungskennzahlen arbeitet das Paradigma der Bewusstseinsökonomie mit Parametern, die, wie beispielsweise der Glücksindex, ganzheitliche Ressourcenschöpfung und Wohlstandsmehrung messbar machen. Dabei wird das auf Veränderungsgeschwindigkeit ausgerichtete Paradigma der Strategieentwicklung transformiert. Erfolgreiche Strategien setzen im Verständnis der Bewusstseinsökonomie nicht an den sich abzeichnenden Veränderungen an, sondern an den Ursachen, die diese Veränderungen treiben sowie an den Konsequenzen, die daraus resultieren. Der strategische Fokus wird somit eine Potenz höher gesetzt. Nicht mehr fokussiert er reaktiv Symptome – beispielsweise den Druck, sich in den globalisiert beschleunigten Märkten in immer kürzeren Zyklen wandeln zu müssen –, sondern proaktiv die Konsequenzen, die aus den zugrundeliegenden Ursachen erwachsen. Zukunftsfähige Strategieentwicklung fragt deshalb danach, wie man angesichts dieser Konsequenzen Strategien und Geschäftsmodelle entwickeln kann, die das Unternehmen überlebensfähig machen, indem sie die Oberflächenlogik der Veränderungsphänomene durchbrechen. Strategien der Disruption wandeln sich dabei zu Strategien der Entkoppelung, die in der Organisation von wertschöpfender Teilhabe den Grund für die eigene Zukunftsfähigkeit legen.

Die *strategische Leitfrage* des Paradigmas der Bewusstseinsökonomie lautet: *Wie und mit welchen Geschäftsmodellen kann mein Unternehmen Strategien der Entkoppelung entwickeln, die zu einer Ressourcenschöpfung führen, aus der sich nicht nur das Unternehmen, sondern auch seine Umgebungssysteme nähren?*

7. Das Paradigma der Ressourcenschöpfung. Es ersetzt das ökonomische Paradigma des Wachstums sowie das CSR-Paradigma der Nachhaltigkeit.

Das ökonomische Paradigma des Wachstums speist sich aus dem wettbewerbsinduzierten Preisdruck, dem alle Produkte und Dienstleistungen unterliegen sowie aus dem Kapitaldruck, dass sich eingesetzte Mittel rentieren, d. i. verzinsen und Erträge abwerfen sollen. Unterlegt mit der technologieinduzierten Wandlungsdynamik der global entgrenzten Märkte, führen beide Wachstumsimpulse in die schon mehrfach genannte Spirale von Beschleunigung und Konzentration und damit zur beschriebenen Abreicherung der breiten Ressourcenbasis. Das Paradigma der Nachhaltigkeit setzt am Faktum an, dass bei steter Übernutzung der Ressourcenbasis Unternehmen und Gesellschaften den Ast absägen, auf dem sie sitzen.

Die Problematik des ökonomischen Wachstumsparadigmas besteht darin, dass es sich selbst nicht einhegen kann, will heißen, das im mentalen Modell der Ökonomie Wachstum die Grundvoraussetzung für Wertschöpfung und Wohlstandsmehrung ist. Wachstum und Zukunftsgläubigkeit bilden dabei zwei Seiten einer Medaille. Diese entfaltet ihren großen Wert dann, wenn Prozesse kreativer Zerstörung Neues schaffen, das zu neuen Bedürfnissen und damit zu neu getriggerter Nachfrage führt. Das Paradigma des Wachstums heizt so die Spirale der heutigen

Überflussmärkte immer weiter an, mit der Folge, dass der Druck auf Preise und damit auf den Ressourcenraubbau weiter zunimmt.

Die Problematik des Nachhaltigkeits-Paradigmas liegt dagegen in dessen Vergangenheits- bzw. Gegenwartsfixierung. Ein Zustand soll so bewahrt werden, wie er faktisch ist bzw. scheinbar ursprünglich war. Dies erfordert punktgesteuerte Prozessgestaltungen, so dass Nachhaltigkeitsbestrebungen zu erheblichen Transaktionskosten führen. Am Beispiel eines Bootes verdeutlicht: soll es an einer Stelle im Fluss gehalten werden, sind umfangreiche Gegensteuerungsmaßnahmen notwendig. Dabei gilt, je komplexer ein System ist, das punktgenau gesteuert werden soll, desto höher ist der dafür notwendige Aufwand. Dynamische Veränderungen werden dabei nicht für eine Weiterentwicklung genutzt, sondern als Impulse begriffen, die es auszusteuern gilt.

Das Paradigma der Ressourcenschöpfung setzt den Paradigmen von Wachstum und Nachhaltigkeit die fünf Naturprinzipien der Wertschöpfung entgegen. Die Natur und alle ökologischen Prozesse leben nicht von Nachhaltigkeit, sondern von einem geradezu verschwenderischem Überfluss. Dieser permanent sich wandelnde Überfluss wird gelenkt durch Rückkopplungsschleifen der Mehrwertstiftung, die zu einer kontinuierlichen Ressourcenanreicherung führen. Hierbei nutzen natürliche Kreislaufsysteme Selbststeuerungskräfte, die das System dadurch stabil halten, dass sie es in seiner hochdynamischen Wandlungsfähigkeit wachsen lassen. Dabei werden all jene Subsysteme aus dem System aus- und abgestoßen, die weniger in das System einbringen, als sie aus ihm heraus ziehen. Dadurch sorgt das System dafür, dass es sich kontinuierlich anreichert, indem es sich in seinen vielfältigen symbiotischen Kreisläufen immer weiter und kleinteiliger ausdifferenziert. Die Stabilität solcher Systeme und der Veränderungsaufwand, sie überlebensfähig zu halten, sind so eine direkte Funktion ihrer Komplexität. Je komplexer, kleinteiliger und vielfältiger das Gesamtsystem ist, desto stabiler und flexibler ist es und desto geringer ist der Aufwand für Anpassungsleistungen. Denn das Gesamtsystem lebt daraus, dass die Veränderungsdynamik von kleinteilig organisierten Subsystemen vor Ort getragen wird. Wachstum führt dabei nicht, wie das heutige ökonomisch getriebene Wachstum, in Konzentrations- und Raubbauspiralen, sondern in Anreicherungsprozesse, die sich selbst nähren.

Die *strategische Leitfrage* des Paradigmas der Ressourcenschöpfung lautet: *Wie ist die Prozesskette zu gestalten, dass auf allen Ebenen und in allen Bereichen sich selbst tragende Mehrwertstiftungen entstehen, die das Gesamtsystem und seine Ressourcenbasis anreichern?*

8. Das Paradigma der Ethikologie. Es ersetzt das Paradigma des Konfliktes von Moral und Profit.

Sowohl innerhalb der Ökonomie als auch innerhalb der Wirtschaftsethik herrscht die Meinung vor, dass es zwischen Gewinnstreben und Moral zu „trade offs" kommt, da die Umfeldansprüche an unternehmerisches Handeln in beiden Bereichen nicht deckungsgleich sind. Je nach Standpunkt fallen die Rechtfertigungsargumentationen für solches Handeln deshalb unterschiedlich aus. Aus Sicht von Unternehmen wird ins Feld geführt, dass Unternehmen zunächst und zuerst für den Unternehmenserfolg verantwortlich sind. Dort, wo er sich einstellt, ist unternehmerisches Handeln aus Sicht der Ökonomie allein schon deshalb moralisch gerechtfertigt, weil er zur gesamtgesellschaftlichen Wohlstandsmehrung beiträgt. CSR-Adepten halten dem entgegen, dass Unternehmen nicht nur für ihr eigenes unmittelbares Handeln haften, beispielsweise bei Verstößen gegen Umweltauflagen, sondern auch für jene mittelbaren Folgen auf der Meso-, Makro- und Supraebene von Märkten, Gesellschaften und der Natur verantwortlich zu machen sind, die aus den heutigen Wirtschaftsprozessen erwachsen. Damit diese Verantwortung nicht nur moralisch, sondern auch juristisch einklagbar wird, geht ihr Ruf nach wirtschaftlicher Moral und Verantwortung oft mit dem Ruf nach dem Gesetzgeber einher, der Regeln zu erlassen hat, die ein moralisch gerechtfertigtes unternehmerisches Handeln in verbindliche Gesetze, Vorschriften und Governance-Regeln überführen.

Mit Blick auf die Mikrologik unternehmerischen Handelns bricht das Paradigma der Ethikologie den Gegensatz auf, der scheinbar zwischen Moral und Profiten besteht. Denn es zeigt, dass zukunftsfähige Unternehmensführung aus Wertestrategien entspringt, die das kleine Einmaleins der Weltethos-Werte verinnerlicht haben, indem sie anhand der ethischen Wahrheitstafel danach fragen, wie und mit welchen Geschäftsmodellen das Unternehmen sein großes Einmaleins einer substanziellen Nutzenstiftung umsetzen kann. Die marktfähige Gestaltung solcher Nutzenstiftungen erfordert eine bewusstseinsfördernde Unternehmenskultur für Hochleistungsteams, die die Verantwortungsmärkte der Zukunft bespielen und deshalb Ethik und Ökonomie in ihren Geschäftsmodellen verbinden.

Die *strategische Leitfrage* des Paradigmas der Ethikologie lautet: *Wie und mit welchen Menschen, Mitteln, Verfahren und Werten kann eine bewusstseinsschöpfende Unternehmenskultur entwickelt werden, die dazu dient, dass Hochleistungsteams Geschäftsmodelle für die Verantwortungsmärkte der Zukunft entwickeln?*

9. *Das Paradigma der Mikrologik unternehmerischen Handelns*. Es ersetzt das CSR-Paradigma unternehmerischer Verantwortung.

Das CSR-Paradigma unternehmerischer Verantwortung belegt Unternehmen mit von außen herangetragenen Verantwortungsansprüchen der Meso-, Makro- und Supraebene. Ihm gemäß sollen Unternehmen in ihrem Handeln Folgen berücksichtigen, die durch das System der heutigen Wirtschaftsweisen hervorgerufen werden, namentlich die sozialen, gesellschaftlichen und ökologischen Folgen der vielfältigen Abreicherungs-, Konzentrations- und Raubbauspiralen. Diese von außen an Unternehmen herangetragenen Verantwortungsansprüche perlen zumeist an Unternehmen ab, da sie in der Selbstreferentialität der mentalen Modelle der heutigen Wirtschaftswissenschaften einen anderen Begründungsdiskurs führen, was unternehmerische Verantwortung sei. Unternehmen halten sich für das Wohlergehen des eigenen Unternehmens sowie für unmittelbare Folgen des eigenen Handelns verantwortlich, nicht jedoch für die Folgen, die außerhalb ihrer unmittelbaren Zuständigkeit liegen, – beispielsweise solche, die aus der Dynamik des Wirtschaftsgeschehens erwachsen, ohne dass sie direkt einzelnen Unternehmen zuzuordnen wären.

Das Paradigma der Mikrologik unternehmerischen Handelns weist diese von außen an Unternehmen herangetragenen Verantwortungsansprüche zurück, indem es sie aktiv nach innen zieht und zu einem Asset der Ausgestaltung eigener Wettbewerbsvorteile macht. Solche Wettbewerbsvorteile entstehen durch ethikologische Geschäftsmodelle, die in entkoppelten Mehrwertkreisläufen Betroffene zu Beteiligten machen und so die Grundlage dafür sind, dass das Unternehmen durch die Absicherung seiner Umgebungssysteme überlebensfähig bleibt. Die Mikrologik unternehmerischen Handelns zielt so auf Überlebensfähigkeit. Dies erfordert eine Strategieperspektive, die eine Potenz höher ansetzt als klassische Strategieansätze, indem sie die Konsequenzen und die tiefer liegenden Ursachen von Veränderungen zum strategischen Ausgangspunkt ihrer Überlegungen macht. Diese zielen auf die Ausgestaltung von Geschäftsmodellen, Kooperations-, Mehrwertstiftungs- und Ressourcenschöpfungsstrategien, mit denen das Unternehmen überlebensfähig wird. Die Mikrologik der Überlebensfähigkeit führt so in neue Formen des Wirtschaftens, bei denen die Visionäre ethikologischer Geschäftsmodelle zu Early Adopters einer Bewusstseinsökonomie werden, in denen Wertestrategien der entkoppelten Mehrwertstiftung und Ressourcenschöpfung den Weg zu den Wettbewerbsvorteilen von morgen weisen.

Die *strategische Leitfrage* des Paradigmas der Mikrologik unternehmerischen Handelns lautet: *Wie und mit welchen Geschäftsmodellen kann ein Unternehmen entkoppelte Mehrwertkreisläufe in Gang setzen, die dazu führen, dass das Unternehmen für die es tragenden Umgebungssysteme unentbehrlich wird?*

10. *Das Paradigma der Entkopplung.* Es verändert das ökonomische Paradigma des „Survival of the Fittest".

Das ökonomische Paradigma des „Survival of the Fittest" lebt aus der wettbewerbslogischen Vorstellung, dass eine gesteigerte Flexibilität, Anpassungs- und Wandlungsfähigkeit in sich schnell verändernden Märkten Basisvoraussetzungen für unternehmerischen Erfolg sind. Wird dieses Paradigma verkürzt als Reiz-Reaktions-Schema interpretiert, hält es Unternehmen dazu an, auf sich abzeichnende Veränderungen möglichst schnell und „up front" zu reagieren. „Up front" besagt in diesem Zusammenhang, dass etwa auf Beschleunigungsprozesse mit gesteigerter Flexibilität und Wandlungsfähigkeit und auf Konzentrationsprozesse mit dem Streben nach Größe zu reagieren sei. Dies führt dazu, dass viele Unternehmen auf sich abzeichnende Veränderungen ähnlich reagieren und im Idealfall danach streben, mit disruptiven Geschäftsmodellen ganze Märkte zu arrondieren. Dieses Schwarmverhalten führt in Zeiten einer sich beschleunigenden Veränderung zu immer größeren Ausschlägen, die ihrerseits zu den oben beschriebenen Konzentrations-, Abreicherungs- und Ressourcenraubbauspiralen sowie zur Aufblähung der heutigen Überflussmärkte mit Sinnsurrogaten und Produkten ohne nennenswerten Mehrwert führen.

Das Paradigma der Entkoppelung setzt dieser Beschleunigungsspirale ein Geschäftsverständnis entgegen, das auf regional entkoppelte Anreicherungsprozesse schwört. Es begreift, dass die kollektive Schwarmdummheit und damit die voranschreitende Dynamik disruptiver Märkte wohl nicht aufgehalten werden kann, „der Weg der Vögel" jedoch sehr wohl beschreitbar bleibt. Ihm gemäß werden jene Unternehmen zukunftsfähig sein, die in der Organisation einer wertschöpfenden Teilhabe kleingliedrige Mehrwertstiftungsketten in Gang setzen, die zu einer umfassenden Anreicherung von natürlichen und humanen Ressourcen führen und so den Grund für die eigene Existenzfähigkeit legen.

Die *strategische Leitfrage* des Paradigmas der Entkoppelung lautet: *Wie und mit welchen Partnern und Strategien kann ein Unternehmen in Symbiosen treten, um Geschäftsmodelle zu entwickeln, welche sich von den Beschleunigungsspiralen der global entgrenzten Märkt entkoppeln?*

11. *Das Paradigma werteschöpfender Teilhabe.* Es verändert das betriebswirtschaftliche Paradigma der Wertschöpfung sowie die daraus abgeleiteten Paradigmen des Shareholder- und Stakeholder-Values.

Das betriebswirtschaftliche Paradigma der Wertschöpfung besagt: Unternehmen streben nach gesteigerter Wettbewerbsfähigkeit. Nur sie sichert gesunden Ertrag. Er ist erforderlich, um Ansprüche von Stakeholdern, an prominentester Stelle Ansprüche der Shareholder, zu befriedigen. Werden sie nicht befriedigt, entziehen sie dem Unternehmen die lebensnotwendigen Mittel, sprich das Kapital zum Wirtschaften. Gesunder Ertrag ist in dieser Sichtweise das Ergebnis gesteigerter Wettbewerbsfähigkeit. Diese gründet in tragfähigen Wettbewerbsvorteilen, welche ihrerseits von Kernkompetenzen getragen werden, mit denen sich ein Unternehmen vom Wettbewerb absetzen kann. Diese ertragsfixierte Wettbewerbslogik führt im mentalen Modell der Ökonomie zu einem Wettbewerbsverhalten, das den Paradigmen von Knappheit, Wettbewerb und Wachstum verpflichtet ist. Im kollektiven Zusammenspiel aller Unternehmen führt es zu den schon mehrfach genannten Konzentrations-, Abreicherungs- und Raubbauspiralen.

Das Paradigma der werteschöpfenden Teilhabe transformiert das Paradigma der betriebswirtschaftlichen Wertschöpfung. Es begreift, dass jede Form von Wertschöpfung eine Funktion vorgängiger Wertschöpfung ist. Im mentalen Modell der Ökonomie führt diese Werteschöpfung – d. i. die wettbewerbslogische Fixierung auf Ertrag – bevorzugt zu Strategien der egozentrierten Vorteilsnahme, mit den schon mehrfach genannten Konsequenzen. Im mentalen Modell ethikologischer Geschäftsmodelle werden dagegen andere Werte aktiviert. Ihnen gemäß resultiert zukunftsfähige Wertschöpfung auf einer ethikologischen Werteschöpfung. Diese zielt auf die Entwicklung von Bewusstseinsressourcen, um Hochleistungsteams dazu zu befähigen, sich selbst tragende Ressourcenschöpfungskreisläufe anzutreiben. Hierbei geht es nicht mehr um eine rein ertragsorientierte Wertschöpfung zur primären Befriedigung der Interessen von Share- und Stakeholdern, sondern um eine ganzheitliche Werteschöpfung, die das eigene Unternehmen werthaltig werden lässt, indem es die Umgebungssysteme substanziell mehrwertstiftend anreichert. Die Befriedigung von Share- und Stakeholderinteressen wandelt sich darin zu einer Funktion umfassender Mehrwertstiftung. Das Paradigma werteschöpfender Teilhabe zielt so auf eine zweifache Resilienz, die das Unternehmen zukunftsfähig macht, indem es seine Umgebungssysteme überlebensfähig hält. Es lebt aus dem Prinzip der Befähigung.

Die *strategische Leitfrage* des Paradigmas der werteschöpfenden Teilhabe lautet: *Wie, wo und für wen organisiert ein Geschäftsmodell werteschöpfende Teilhabe? Wer muss dabei wo, wie und wodurch so befähigt werden, dass das Zusammenspiel der Akteure einen Anreicherungsprozess in Gang setzt, der zu entkoppelten Mehrwertkreisläufen führt?*

12. ***Das Paradigma der Befähigung.*** Es verändert das ökonomische Paradigma der Leistung.

Das ökonomische Paradigma der Leistung besagt, Leistung lohnt sich. „Leistung" ist in dieser Sichtweise das Ursachenprinzip für Erfolg, Erfolg definiert als das Erzielen von Erträgen. Als Input-Output-Funktion darstellt, ergibt sich ökonomischer

Erfolg aus einer qualitativen Leistungssteigerung. Diese zielt darauf, mit möglichst geringem Aufwand möglichst großen Ertrag zu generieren. Deshalb konzentriert sich das ökonomische Paradigma der Leistung auf zwei Stellhebel für unternehmerische Leistungssteigerung. Quantitativ ist es der Hebel der Effizienz und das Heben von Effizienzpotenzialen, beispielsweise durch Senkung von Prozess- und Transaktionskosten. Qualitativ ist es der Hebel der Effektivität und hier insbesondere die Entwicklung disruptiver Geschäftsmodelle. Sie ermöglichen exponentielle Leistungssteigerungen, weil sie die Ertragskette pyramidal zugespitzt revolutionieren. Am Beispiel von UBER verdeutlicht: Der Transportdienst UBER profitiert davon, dass die freien Fahrer den traditionellen Markt der Taxi-Unternehmen aushebeln und dabei für ihre Dienstleistungen deutlich geringer „entlohnt" werden, als Taxifahrer bisher. Je mehr das traditionelle Taxigewerbe unter Druck kommt, desto mehr gewinnt UBER, ohne dass dies zur Existenzsicherung jener führen würde, die die Dienste gewährleisten. Dabei wird der Wertschöpfungsprozess umgedreht. Immer mehr Erträge aus den kollektiv erbrachten Fahrdienstleistungen konzentrieren sich bei immer weniger Stakeholdern. Die aus Sicht der einzelnen Fahrer gesehene quantitative Entwertung ihrer Fahrdienstleistungen führt so zur qualitativen Aufwertung der Leistungsfähigkeit des disruptiven Geschäftsmodells von UBER. Wie bei anderen solcher als „Einhörner" bezeichneten Geschäftsideen – „Einhörner" sind in der Diktion von Silicon Valley Geschäftsideen, die nach Gründung des Start ups binnen Kurzem mehr als eine Milliarde US-$ wert sind – zeitigt auch das Geschäftsmodell von UBER zwei Ergebnisse: erstens treibt es die Konzentrations-, Abreicherungs- und Beschleunigungsspirale weiter an. Zweitens, und das ist für das ökonomische Paradigma der Leistung der bedeutsamere Aspekt, entkoppelt es ökonomische Leistungsfähigkeit – also die Ertragsfähigkeit – von den real erbrachten Leistungen vor Ort. Zwar erhält ein Kunde von UBER die gleiche Fahrdienstleistung wie zuvor, diejenigen aber, die die Leistung anbieten, fallen auseinander in jene Wenigen, die aufgrund der genialen Geschäftsidee den ganzen Kuchen für sich in Anspruch nehmen, und in jene Vielen, die ihn mit ihren persönlichen Leistungen „backen", jedoch nur noch kleine Stücke davon erhalten. Die qualitative Dimension des ökonomischen Leistungsparadigmas besagt somit: besonders leistungsfähig ist derjenige, der für sich ein Optimum aus der Leistung Anderer herausholen kann. Als Teil des mentalen Modells der Ökonomie treibt somit auch das Leistungsparadigma die Abreicherungsspirale aus egozentrierter Vorteilnahme, Beschleunigung, Disruption, Konzentration und Ressourcenraubbau an.

Das Paradigma der Befähigung setzt dem ökonomischen Paradigma der Leistungsfähigkeit entgegen, dass zukunftsfähige ökonomische Wertschöpfung darin gründet, dass Unternehmen Geschäftsmodelle entwickeln, die Anreicherungsprozesse in Gang setzen. Hierzu ist eine Unternehmenskultur vonnöten, die in der Entwicklung von Bewusstseinsressourcen darauf setzt, dass sich Unternehmen als Akteure entkoppelter Mehrwertkreisläufe positionieren. Dies erfordert sowohl im Umgang mit internen als auch mit externen Stakeholdern ein Vorgehen, das anhand der hier skizzierten zwölf Paradigmen ethikologischen Wirtschaftens ein neues Strategieverständnis entwickelt. Es setzt auf umfassende Befähigung aller Akteure der unterschiedlichen Prozess-, Leistungs- und Konsumketten, damit diese aktiv beitragender Teil eines Wertschöpfungsprozesses werden, der sich kontinuierlich anreichert und ausdifferenziert. Solche Befähigungsstrategien setzen auf substanzielle Nutzenstiftungen. In der Logik der Fremdnutzenstiftung fragt das Paradigma der Befähigung somit danach, wo, wie und auf welchen Ebenen der Wertschöpfungskette und der Umgebungssysteme Individuen und Unternehmen befähigt werden können, damit sie als aktiver Teil bei der Ausgestaltung solcher Nutzenstiftungen mitwirken. Wie auch die anderen Paradigmen ethikologischer Unternehmensführung gründet es in der Einsicht, dass Wertschöpfung eine Funktion von Werteschöpfung ist und dass zukunftsfähige Strategien der Werteschöpfung den Weg zu den Wettbewerbsvorteilen von morgen weisen. Denn die in Unternehmen gelebten Werte bestimmen nicht nur systemintern, in welche Richtung sich ein Unternehmen bewegen kann, sondern beeinflussen auch systemübergreifend, in welcher Richtung sich Märkte und unsere wirtschaftenden Gesellschaften als Ganzes bewegen werden.

Die *strategische Leitfrage* des Paradigmas der Befähigung lautet: *Mit welchen Leistungen kann mein Unternehmen wo, wie und auf welchen Ebenen der Wertschöpfungskette und der Umgebungssysteme Individuen und Unternehmen so befähigen, dass sie als aktiver Teil bei der Ausgestaltung entkoppelter Mehrwertkreisläufe zu Akteuren einer Nutzenstiftung werden, die sowohl mein Unternehmen als auch seine Umgebungssysteme zukunftsfähig werden lassen?*

Fassen wir den hier entfalteten Paradigmenwechsel eines zukunftsfähigen Wirtschaftens zusammen: Wir können die großen Entwicklungen nicht aufhalten. Sie sind zu komplex, zu dynamisch und entziehen sich als Ergebnis eines sich aufschaukelnden Schwarmverhaltens, in dem die Akteure der Wirtschaft reflexartig so reagieren, wie es die mentalen Modelle der heute gängigen Ökonomie vorgeben, dem direkten Zugriff, – sei es dem der nationalen Politik, sie es dem einzelner Unternehmen. Dennoch kann jedes Unternehmen anders darauf reagieren, als in einem „Weiter wie bisher", was seine eigene Zukunftsfähigkeit untergraben könnte. Gefordert ist somit ein „Anders als bisher". Dieses „Anders als" wird im mentalen Modell ethikologischen Wirtschaftens gefasst. Dabei zeigen die genannten Beispiele, dass dieses „Anders als" auch aus Sicht der heutigen ökonomischen Ertragsparameter erfolgreich sein kann. Zukunftsfähige Strategieentwicklung hat deshalb nicht an den Oberflächensymptomen der heutigen Veränderungsdynamiken anzusetzen, die im „Weiter so" dazu führen, dass sich die Abreicherungs-, Ressourcenraubbau- und Konzentrationsprozesse noch weiter beschleunigen, sondern konzentriert sich auf die hinter den Symptomen liegenden Konsequenzen, Treiber und Ursachen. Es erfordert ein Durchbrechen sowohl des gängigen mentalen Modells der Ökonomie als auch ein Durchbrechen der daraus abgeleiteten Strategie- und Unternehmensführungskonzepte. Dabei ist klar, dass viele Unternehmen diesen Schritt nicht gehen können oder wollen und das selbst die, die erwägen, ihn zu beschreiten, möglicherweise scheitern werden, weil sie in ihren bisher gängigen mentalen Modellen gefangen bleiben oder weil sie die grundlegende Mechanismen für Erfolg, darunter die Marktfähigkeit von Produkten und Leistungen, die Wettbewerbsfähigkeit von Organisationsformen und Ablaufprozessen sowie die Ausgestaltung bewusstseins- und sozialkapitalschöpfender Unternehmenskulturen verletzen. Gerade ihnen gibt das Buch Hinweise auf jene Early Adopters, die diese neuen Wege heute schon erfolgreich ausloten. Zudem gibt es Hinweise darauf, mit welchen Paradigmen diese neuen Wege beschritten werden können. Bis sich daraus eine neue ökonomische Wirklichkeit entwickelt, die Welt der Bewusstseinsökonomie mit ressourcenschöpfenden Geschäftsmodellen für die Verantwortungsmärkte von morgen, wird es folglich ein langer Weg sein. Ihn nicht zu beschreiten, ist jedoch das Gegenteil von Zukunftsfähigkeit, will heißen, es liegt in den Unternehmen selbst, über ihr Schicksal zu entscheiden. Das aber bedeutet: Was zukünftig zählt sind Werte, nicht Wert.

Personenregister

© Springer-Verlag Berlin Heidelberg 2016
F. Glauner, *Zukunftsfähige Geschäftsmodelle und Werte*,
DOI 10.1007/978-3-662-49242-0

Unternehmensverzeichnis

© Springer-Verlag Berlin Heidelberg 2016
F. Glauner, *Zukunftsfähige Geschäftsmodelle und Werte*,
DOI 10.1007/978-3-662-49242-0

Printed in Poland
by Amazon Fulfillment
Poland Sp. z o.o., Wrocław